Le journal d'Aurélie Laflamme

India Desjardins

Le journal d'Aurélie Laflamme

Tome 1: Extraterrestre... ou presque !

À PARAÎTRE :

Le journal d'Aurélie Laflamme,
tome 2 : *Sur le point de craquer !*

© Les Éditions des Intouchables, Montréal, 2009
Publié avec l'autorisation des Éditions des Intouchables,
Montréal, Québec, Canada.
Illustrations intérieures : Josée Tellier
© Éditions Michel Lafon, Poche, 2013 pour la présente édition
7-13, boulevard Paul-Émile-Victor – Île de la Jatte
92521 Neuilly-sur-Seine Cedex
www.lire-en-série.com

*À Sybil, sans qui je me serais sentie
souvent bien seule dans l'univers…
Tu seras toujours là.*

SEPTEMBRE

La fin du monde

PAPA

boing! boing!

Kat

$$\frac{X + Y \times 1000^2 + \frac{3}{5} \div Z^3 + 24}{} =$$

je comprends ZÉRO!

moi!

CRÊPES!! LES meilleures DE L'UNIVERS!!

L'UNIVERS!

MATHS → source de STRESS!!

Miss Magazine

15h12 LA FIN DU MONDE?

Parfois, je me sens seule dans l'univers. Je ne me trouve aucune affinité avec personne, sauf avec ma meilleure amie Kat, mais depuis qu'on s'est disputées pour une bêtise, on ne se parle plus.

Il y a bien ma mère (elle est en bas, dans la cuisine, en train de faire de la sauce bolognaise, et ça sent trèèèès bon), mais je ne peux pas vraiment tout lui dire et, parfois, elle m'énerve. Comme en ce moment. Je suis punie parce que j'ai commis une petite, disons, « erreur de comportement » à l'école. Ce n'était vraiment rien du tout. Vraiment. Mais ma prof de maths (auprès de qui j'ai commis l'erreur en question) l'a dit au directeur qui l'a dit à ma mère et me voilà punie. Personnellement, je trouve qu'on ne devrait pas être punie à quatorze ans. Il devrait y avoir une loi pour que les parents n'aient plus le droit de nous punir, disons, après onze ans. Sinon, c'est nul ! Ma mère a décidé que ma punition serait l'interdiction de regarder l'épisode des *Frères*

Scott de ce soir. Et je n'ai pas le droit de regarder les rediffusions cette semaine, ni même de l'enregistrer ! Ma mère dit que, au pire, je pourrai le regarder en DVD, l'année prochaine. Mais l'année prochaine… c'est loin ! Bon, l'avantage des DVD, c'est que je peux entendre la vraie voix des acteurs en version originale. Mais c'est complètement inutile, puisque je ne comprends absolument rien en anglais !

Exemple : j'ai déjà chanté *The Anthem*, du groupe Good Charlotte, ainsi : « *Youuuu-hou ! Nowa nowa just like you… nananananana… This is the anthem wa za wa za wa You-hou ! Dewon nana you !* » Ce qui ne veut rien dire.

Franchement, ma punition n'est pas méritée parce que j'ai juste fait une petite blague à la prof de maths qui, soit dit en passant, est vraiment chiante depuis le début de l'année. Elle est tout le temps à cran ! Tout le temps ! Genre, on arrive dans sa classe et elle commence à nous crier dessus, elle nous répète qu'on n'arrivera jamais à rien si on n'utilise pas sa mé-tho-de de tra-vail.

Sa méthode de travail :

Jocelyne Gagnon, ma prof de maths, enseigne sa matière en nous disant ce qu'il faut souligner, la couleur du crayon à utiliser et les lignes qu'il faut sauter.

Par exemple : « Le volume d'un solide est la quantité d'espace – soulignez "quantité d'espace" deux fois au crayon vert – qu'occupe ce solide. Sautez une ligne, commencez après une marge de deux centimètres. »

Aujourd'hui, en classe, elle a crié : « IL FAUT SUIVRE LA MÉ-THO-DE DE TRA-VAIL, SINON VOUS ALLEZ RATER LE TRAIN POUR LE BREVET DES COLLÈGES ! »
Et j'ai répondu : « On prendra le bateau. »
Là, quelques élèves ont timidement ri et elle a demandé : « Vous trouvez ça drôle ? » Alors il y a eu un gros, ou plutôt un énorme malaise (soulignez deux fois le mot « énorme » au crayon rouge). Ensuite, elle m'a dit d'aller voir le directeur.
Ça, c'est vraiment le genre de chose qui me gêne. Car, quand je suis convoquée dans le bureau de Denis Beaulieu (le directeur) pour une bêtise que j'ai faite, je suis incapable de terminer une phrase sans pleurer.
Exemple :
Denis Beaulieu : Pourquoi es-tu ici ?
Moi : Parce que j'ai fait quelque cho-o-o-se quiiiiiiiiiii-iiiiiii-iiiii… (Le reste de ma phrase est incompréhensible, car rempli de sanglots, de mots trop aigus, de reniflements, etc.)
Donc, comme je le disais, très gênant.

Bref, je suis allée dans le bureau de Denis Beaulieu. Il a été capable de comprendre ma blague malgré mes sanglots (j'ai même cru remarquer qu'il avait du mal à garder son sérieux, je ne sais pas si c'est parce que je pleurais ou à cause de ma blague) et il a appelé ma mère, qui a finalement décidé de m'empêcher de regarder *Les Frères Scott*. Très frustrant.

Si elle m'avait privée de dîner, ça m'aurait affamée, mais j'aurais trouvé que j'étais moins, disons, martyrisée. Oui, c'est ça, je suis martyrisée ! Non, faut pas exagérer quand même. Mais c'est vrai que ma mère est une maniaque du ménage et qu'elle m'a même déjà fait avaler du liquide vaisselle. Sauf que c'était vraiment une erreur de sa part : elle avait confondu la bouteille de sauce au chocolat avec celle du liquide vaisselle (je ne sais pas comment elle a fait). On avait vraiment ri, ce jour-là, et je lui en avais fait goûter pour me venger. Elle avait fait semblant de trouver ça vraiment bon.

19 h 17

Ma mère m'appelle pour me dire que le dîner est prêt. Finalement, j'ai plutôt faim, alors je suis contente qu'elle ne m'ait pas privée de repas.
– Oui, oui, j'arriiiiiive !
Ah ! Elle m'énerve, des fois !

Ma mère ne se souvient pas du tout de l'anecdote de la bouteille de sauce au chocolat versus la bouteille de liquide vaisselle. Là, c'est trop ! C'est un de mes souvenirs d'enfance les plus marquants, et elle ne s'en souvient même pas ! Il me semble que boire du liquide vaisselle, on n'oublie pas ça comme ça ! Mais je me suis dit que, puisqu'elle a une si mauvaise mémoire, elle ne se souviendrait peut-être pas de ma punition. Alors j'ai essayé de regarder *Les Frères Scott*, mais elle s'en souvenait. (Grrr.) Je trouve que la mémoire sélective de ma mère ne m'avantage pas vraiment.

21 heures

Je suis dans ma chambre à la recherche de quelque chose à faire. En fait, j'ai des vœux à formuler et j'ai regardé le ciel quelques minutes à la recherche d'une étoile filante, mais je trouve cette technique un peu longue et ça ne me tente pas d'attendre jusqu'à demain. Il y a aussi les coccinelles, alors je me suis mise à en chercher, sans succès. Selon mes connaissances en matière de souhaits, il ne me reste que l'option de dire la même chose en même temps que quelqu'un ou… Dieu. Comme je suis toute seule…

Cher Dieu (ou peu importe votre nom ici, on nous a parlé de vous, mais également de plusieurs autres religions, et je ne voudrais pas vous insulter si vous ne pratiquez pas la religion que je vous attribue),

Je ne vous parle pas souvent… C'est parce que je ne suis pas vraiment pratiquante mais, ce soir, je voudrais demander des choses à n'importe qui, disons, spécialisé en souhaits, et vous êtes le seul à qui j'ai pensé. Est-ce qu'il faut se présenter quand on prie ? Je veux dire, ça doit être assez compliqué de recevoir plein de demandes comme ça, anonymes, vous ne devez pas trop savoir où accomplir vos « miracles ». Êtes-vous encore capable d'en faire ? Êtes-vous capable de faire des choses plus incroyables que de changer de l'eau en vin, par exemple ? Parce que, de nos jours, il y a plein de magiciens qui font des choses vraiment impressionnantes. Bon, on sait bien que ce sont des trucs et non des « miracles », mais en ce qui vous concerne c'est flou, parce que vos trucs n'ont jamais été dévoilés. D'ailleurs, vous avez perdu un peu de crédibilité, si je peux me permettre, lorsqu'on a découvert que vous n'aviez pas « créé » l'univers, mais que c'était dû à un phénomène appelé le big bang. Euh… est-ce que je vous insulte si je dis ça ? Je ne voudrais pas mal commencer notre relation parce que j'ai plein de choses à vous demander… Et des fois, je fais des petites gaffes.

C'est souvent parce que je parle trop. Bon, reconcentration.

Si jamais il faut que je me présente, eh bien moi c'est Aurélie Laflamme. En passant, je ne suis pas baptisée ; est-ce que je peux vous demander des choses quand même ?

1) J'aimerais vous demander qu'il ne se passe pas trop grand-chose dans Les Frères Scott, *ce soir, car je ne voudrais pas perdre le fil de l'intrigue.*

Mais bon, ça, c'est vraiment facultatif, c'est une demande pour m'échauffer.

2) J'aimerais vraiment me réconcilier avec mon amie Katryne Demers, s'il vous plaît. On s'est disputées l'autre jour et ça me fait beaucoup de peine. En plus, c'était pour une bêtise et elle me manque.

3) Si ma mère pouvait gagner plus d'argent et travailler moins, ce serait vraiment cool !

4) Ah ! Et si vous étiez capable de rendre les cookies aux pépites de chocolat bons pour la santé et amincissants, ce serait génial, parce que je pourrais en manger plus, ma mère ne limiterait pas ma consommation à trois biscuits par repas et je ne serais pas obligée de manger les autres en cachette.

5) Aussi, si jamais c'est possible, j'aimerais bien que vous disiez à mon père qu'il me manque et que je l'aime…

21h12

Ma mère est entrée dans ma chambre et elle m'a vue

pleurer. Elle m'a dit qu'elle ne pensait pas que *Les Frères Scott*, c'était si important pour moi. Alors, elle m'a apporté son ordinateur pour que je regarde l'épisode sur Internet. Je ne pleurais pas pour ça, mais je ne voulais pas lui parler de mon père, car ça lui aurait fait de la peine. Elle n'aime pas qu'on en parle. Elle m'a également avoué qu'elle avait trouvé ma blague d'aujourd'hui assez drôle et qu'elle l'avait dit à Denis Beaulieu, qui a pensé la même chose. Il veut tout de même rencontrer ma mère. Mais elle m'a promis de me défendre. Elle a ajouté : « Tu n'as rien volé, quand même ! »

J'ai serré ma mère très fort dans mes bras.

Puis, avant de quitter ma chambre, elle m'a dit qu'elle avait un vague souvenir de l'affaire du liquide vaisselle.

Jeudi 15 septembre

Je vais dans une école de filles. Si j'allais dans une école mixte, j'aurais peut-être plus d'amis, parce que j'aurais la possibilité d'être amie avec des garçons. Mais dans l'état actuel des choses, cette possibilité est écartée.

Pourquoi je vais dans une école de filles :

En CM2, j'étais copine avec Rosalie Moisan. C'était, disons, ma meilleure amie dans ce temps-là, mais ça a vite changé à la suite de ce qui s'est passé. Mais tant qu'il ne s'était pas passé ce que je ne savais pas qu'il allait se passer, je la considérais comme ma meilleure amie.

Bref. Voici ce qui s'est passé. J'étais toujours fourrée avec Rosalie. Elle a commencé à sortir avec William Dorion, un garçon de quatorze ans (mon âge actuel, et je peux vous jurer que les garçons de onze ans ne m'intéressent pas du tout, alors que penser, avec le recul, de William Dorion, hum ?). Rosalie était toute fière de sortir avec un mec de quatorze ans (qui, soit dit en passant, avait redoublé et qui était en quatrième et non, comme moi, en troisième). Elle en parlait à tout le monde. Un jour, elle a voulu me présenter à William. Et lui, je ne sais pas trop pourquoi, il a flashé sur moi. Je jure que je n'ai rien fait pour que ça arrive car, personnellement, je le trouvais un peu débile. (Malgré tout, j'avoue que je me sentais un peu flattée qu'un garçon de quatorze ans kiffe sur moi.) Il a commencé à me draguer DEVANT ROSALIE ! En ce temps-là, on dirait que je n'avais pas encore eu, disons, d'éveil au niveau de ma conscience. Et, au lieu d'être solidaire envers mon amie, j'ai décidé de sortir avec William. Évidemment, Rosalie s'est sentie très frustrée.

Tout ça pour dire que je suis sortie avec William pendant une semaine. À onze ans, je jouais encore à la poupée Barbie (je sais, c'est vieux pour jouer à la Barbie, mais je n'étais pas capable de m'en empêcher et j'adorais ma Barbie Mèches Bleues, car je la trouvais rebelle), alors William se moquait un peu de moi (avec raison, j'imagine). D'ailleurs, parenthèse sans parenthèses, j'aimerais que, sur les boîtes de Barbie, soit indiqué l'âge où on doit officiellement arrêter de jouer sans passer pour « jeune » auprès de nos amis. Moi, je trouvais encore plus marrant de jouer à la Barbie à onze ans qu'à six par exemple, car j'avais des scénarios beaucoup plus élaborés, j'ajoutais de la musique en fond sonore, c'était vraiment comme un film que je faisais moi-même ! Dommage que j'aie été totalement incomprise par le reste de la communauté des gens de onze ans.

Pour en revenir à William… au bout de la sixième heure de notre relation, il m'a demandé si j'étais d'accord pour qu'on s'embrasse avec la langue. Personnellement, je trouvais que William avait TRÈS mauvaise haleine. Je n'avais jamais encore roulé de pelles, mais je savais très bien de quoi il s'agissait, c'est-à-dire faire un tournicotis de langues. Et comme je trouvais que William avait mauvaise haleine, je me disais que faire un tournicotis de langues, et donc de salive, avec lui devait avoir un très mauvais goût. Alors, je lui ai dit que ça ne me dérangeait pas, mais que j'aimerais bien qu'il se brosse les dents. Notre conversation à l'époque :

Lui : Allez ! Une pelle !

Moi : Je sais pas…

Lui : Allez !!! Je le dirai à personne !

Moi : Bon… OK. Mais j'aimerais que tu te brosses les dents.

Lui : Hein ? ! ? !!! Rapport ? ! ? !!! (Ponctuation telle que ressentie dans la vraie vie.)

Ensuite, je n'ai pas voulu l'insulter et lui dire que c'était parce qu'il avait mauvaise haleine. Et il est parti. Quelques jours plus tard, une bande me regardait et riait de moi en chuchotant. Rosalie était avec eux. J'ai demandé ce qui se passait et ils m'ont dit que rouler des pelles n'avait aucun rapport avec le brossage de dents !

J'ai dit :

– Si, ça a un rapport quand l'autre personne a mauvaise haleine !

En fait, c'est ce que j'aurais aimé dire mais, sur le coup, ça n'est pas sorti. J'y ai réfléchi et ce n'est que quelques heures plus tard que j'ai pensé à cette réplique. Je me demande d'ailleurs pourquoi, quand les gens me cherchent, je ne suis jamais capable de trouver tout de suite la bonne réplique qui leur en boucherait un coin ! Pourquoi faut-il qu'elle arrive cinq heures plus tard, juste avant que je m'endorme ? Impossible de se présenter le lendemain et de lancer la phrase incendiaire que mon cerveau m'a envoyée en retard parce que ça aurait juste l'air hors sujet et que les gens me regarderaient l'air de dire : « Rapport ? ! ? », ce qui n'aiderait en rien ma cause.

À partir de ce moment-là, Rosalie n'a plus été mon amie. J'ai regretté énormément d'être sortie avec William, et le reste de l'école a ri de moi à cause de l'affaire brosse à dents/roulage de pelles qui n'avait pas de rapport, selon eux. (Je suis surprise que personne n'ait remarqué à quel point William puait de la bouche !) Tout ça n'a pas duré très longtemps. Mais juste assez pour que je me sente mal.

Donc, quand est venu le temps de choisir mon collège, j'ai choisi un établissement privé pour filles.

Mes raisons :

1) Les garçons m'énervent grave.
2) Puisque je ne serais entourée que de filles, je m'éviterais les problèmes causés par les mecs.

3) Comme l'uniforme est obligatoire, je pensais économiser du temps (choisir des vêtements le matin, malgré la pauvreté de ma garde-robe, est un processus très loooong et complexe) et m'épargner toute remarque désobligeante sur ma tenue vestimentaire, petit détail qui m'a causé bien des soucis en primaire.

Les raisons que j'ai données à ma mère :
1) Mon éducation serait meilleure.
2) Mon père aurait aimé que son argent me permette d'aller dans une bonne école. (Bon, ça, c'était vrai, mais j'avoue que je m'en suis un peu servi pour toucher la corde sensible de ma mère et que ce n'était pas tout à fait juste de ma part… J'avais vraiment besoin d'une nouvelle vie !)

Finalement, j'en suis à ma troisième année à l'école privée et je ne regrette pas mon choix. Et j'y ai rencontré Katryne, qui est devenue ma meilleure amie (même si, malheureusement, nous sommes en froid depuis cinq jours, quatre heures et dix secondes).

Jeudi 22 septembre

Horreur ! Ma mère a rencontré mon directeur aujourd'hui. Il lui a dit qu'il me trouvait « spéciale ». Ma mère me l'a répété avant de déclarer qu'elle avait trouvé le directeur, et on parle bien ici de monsieur Denis Beaulieu, très charmant. Et elle a dit « charmant » de façon particulière. Un genre de façon avec un petit temps de réflexion, et les yeux qui bougent vers la droite pour revenir dans leur orbite, et choisir le mot et le prononcer de façon un peu plus douce que le reste de la phrase, en plus d'un petit sourire en coin. J'hallucine ! Si ma mère en pince pour Denis Beaulieu, je suis f-i-n-i-e !

Mais revenons-en à « blabla… spéciale ». De quoi je me mêle, monsieur-le-directeur-que-ma-mère-trouve-« charmant » ?

Oh ! si je n'étais pas en froid avec Kat, je l'appellerais tout de suite et on élaborerait un plan pour tenter d'analyser la situation avec du recul et non avec la peur que mon directeur devienne le mec de ma mère et qu'il vienne vivre chez nous !

Ma mère : … et il voudrait que tu t'impliques plus dans tes cours.

Moi : Quoi ?

J'étais tellement concentrée à imaginer ce que serait ma vie si ma mère se mariait avec Denis Beaulieu que je n'ai pas écouté ce qu'elle m'a dit.

Ma mère : Selon Denis… M. Beaulieu, tu pourrais avoir de bien meilleurs résultats si tu te forçais un peu plus.

Moi : Quoi ? ! ? Il a dit ça ?

Ma mère : Mais ne t'en fais pas avec ça ! On n'est seulement qu'au début de l'année, tu auras le temps de te reprendre !

J'ai choisi le collège privé, mais je n'avais pas prévu que je serais considérée comme « spéciale » par le directeur, ni que j'aurais à bosser plus à l'école. Je n'ai pensé qu'à ne pas me disputer avec mes amies et c'est arrivé quand même !

20 h 30

Je trouve ma vie limite stressante.

21 heures

Je dois penser à un plan pour changer d'école.

21 h 2

Surtout si ma mère en pince pour mon directeur.

21 h 36

Plan A : dire à ma mère que M. Beaulieu a une maladie de peau et que, sous ses vêtements, il a l'air d'un lépreux.

21 h 37

Ouach !!!!!!!!!!!!!!!! J'ai des frissons d'effroi en imaginant M. Beaulieu avec... Aaaaaaaaaaaaaaaaark ! Je vais gerber !

22 heures

Je suis totale insomniaque. Je n'arrive à trouver aucun plan pour empêcher ma mère de sortir avec mon directeur.

J'ai croisé Katryne à l'école et on ne s'est pas parlé. J'ai donc décidé d'aller manger dans les toilettes, pour qu'on ne me voie pas manger seule à la cafétéria. Katryne n'est pas la seule personne avec qui je m'entends bien, mais c'est la seule avec qui je peux manger. Chaque midi, tout le monde s'assoit toujours aux mêmes tables. Non pas que les tables aient été assignées d'avance, mais quand un groupe s'approprie une table, c'est sa table pour l'année. C'est comme ça depuis le début du collège.

Puisque je mange avec Kat depuis la sixième, je ne peux vraiment pas m'asseoir avec un autre groupe sans passer pour une intruse provenant d'une autre planète (ce que je suis probablement, vu mes difficultés d'adaptation sur cette planète-ci) ou pour quelqu'un qui se cherche des bouche-trous.

Mon amitié avec Katryne a commencé lors de l'examen d'entrée pour l'école. Elle avait une queue de cheval qui rebondissait d'un côté et de l'autre quand elle marchait. C'est vraiment un phénomène propre à Kat, parce que lorsque Justine Simard se fait une queue de cheval, aucun cheveu ne bouge. C'est peut-être une question de port de tête... ou de laque.

Donc, pendant l'examen, j'ai hésité sur une question. Kat (que je ne connaissais pas encore) l'a remarqué et a tourné sa gomme vers moi. Sur la gomme, il y avait, écrit en tout petit, plein de notions importantes, dont la règle du participe passé accordé avec « avoir », qui me cause tant de soucis et dont j'avais besoin pour répondre à l'examen d'entrée.

Après l'examen, j'ai dit merci à Kat pour son aide. Elle m'a dit qu'écrire quelques aide-mémoire sur sa gomme était une très bonne technique car, les profs étant myopes, c'était très rare qu'ils s'en rendent compte. Elle affirme encore aujourd'hui que cette technique ne peut pas être considérée comme de la tricherie. Mais c'est un point de vue qui se discute. J'ai trouvé l'idée géniale et je m'en suis toujours servie (quoique ça ne m'ait jamais aidée à répondre à des questions d'examen et que ça coûte très cher en gommes à ma mère, qui se demande pourquoi je les perds toujours).

À partir de ce moment-là, Kat et moi sommes devenues

amies et on s'est promis-juré de le rester *4 ever and ever* !

Kat est top ! Rien ne lui fait peur ! Exemple : l'autre soir, nous attendions l'autobus pour revenir de la salle de jeux vidéo. Il y a un type louche qui est arrivé derrière nous et m'a bousculée. Moi, j'étais figée. Mes jambes se sont mises à trembler (ça m'arrive toujours quand je suis nerveuse). Kat s'est retournée et lui a crié : « QU'EST-CE QUE TU VEUX ? » Les gens se sont retournés vers nous, le mec est parti et Kat m'a prise dans ses bras puis m'a demandé si j'allais bien. Ce soir-là, j'ai été étonnée de constater à quel point elle a les nerfs solides !

Kat dit que la popularité à l'école, ce n'est pas important. Ce qui compte, c'est d'avoir la meilleure amie du monde.

Malheureusement, on s'est fâchées. En plus pour une bêtise.

Samedi 10 septembre
Jour de mon embrouille avec Kat.

16 h 10

Tout d'abord, il faut dire que Kat a quelques règles lorsque nous sommes en présence de garçons.

Les règles de Kat :

1) Ne jamais, au grand jamais, dire qu'on a déjà tripé sur Britney Spears ni sur les *boys'band*, même si ça fait partie d'un passé lointain.

2) Ne pas dire que j'ai joué à la Barbie jusqu'à onze ans, même si je suis capable d'autodérision à ce sujet. (Ben quoi ? Je m'assume !)

3) Ne pas dire qu'on aime parfois revoir *La Petite Sirène*, et toujours dire qu'on aime les films d'horreur (même si ça nous fait faire des cauchemars).

4) Ne jamais dire qu'on s'est déjà exercées à embrasser avec notre bras. (Notre propre bras et non avec le bras de l'autre, ce qui aurait été franchement dégueulasse et, surtout, très gênant si Julyanne, la sœur de Kat, était entrée dans sa chambre sans frapper juste à ce moment-là.)

5) Ne pas sortir avec un garçon s'il n'est pas approuvé par l'autre et s'il risque de briser notre amitié.

J'ai brisé une seule règle. À la salle de jeux, Kat dansait sur le Dance Dance Revolution (Kat est la meilleure à ce jeu, qui consiste à reproduire les pas de danse proposés par un écran). Évidemment, elle fait toujours attention de ne pas choisir une chanson de Britney, même si ça fait partie des choix proposés et qu'elle est devenue une spécialiste grâce au jeu Britney Spears Dance Beat sur sa Playstation 2.

Un super beau gosse est arrivé et lui a dit : « Wow ! T'es vraiment la meilleure ! » Et j'ai ajouté : « Dire que c'est grâce à BRITNEY SPEARS ! » Oups. C'est sorti tout seul. J'étais super fière de Kat, mais les mots sont sortis de ma bouche parce que j'étais trop submergée de fierté.

Là, les gens qui admiraient la performance de Kat sont devenus silencieux. Comme si j'avais dit, je ne sais pas moi, que je déclarais la guerre ou quelque chose du genre. Je ne sais pas qui kiffe encore sur Britney Spears, mais ce qui est sûr, c'est qu'elle n'avait aucun fan ce jour-là.

Bon, le garçon qui a dit ça à Kat, c'était un employé de la salle de jeux et il n'est pas du tout de notre âge, donc impossible de l'envisager comme petit ami, et c'est peut-être pour ça que je n'avais pas les « règles » en tête. Mais Kat m'a lancé un regard foudroyant et elle a arrêté de me parler. Je me suis excusée un million de fois, seulement elle me boude. Kat est ma meilleure amie, mais j'avoue qu'elle est un peu soupe au lait. Elle est également très orgueilleuse. Probablement qu'après réflexion, elle trouve ma gaffe pas si grave que ça, mais qu'elle n'ose pas me le dire.

Retour au vendredi 23 septembre

15 h 43

En revenant de l'école, j'ouvre *Miss Magazine*, un magazine de filles, et je décide de faire le test « Êtes-vous amies pour la vie ? ».

Miss Magazine

TEST : ÊTES-VOUS AMIES POUR LA VIE ?

Pas toujours facile d'être amies ! Mais c'est en franchissant des obstacles qu'on approfondit nos liens. Fais le test pour découvrir si votre amitié est faite pour durer !

1. TA MEILLEURE AMIE EST INVITÉE DANS UNE SUPER TEUF ET PAS TOI. QUE FAIT-ELLE ?
   a) *Elle tente de te faire inviter.*
   b) *Elle y va sans t'inviter.*

c) Elle te dit qu'elle n'ira pas et tu apprends deux mois plus tard qu'elle y est allée.

C'est clair que je choisis la première réponse. Kat n'irait jamais dans une soirée sans moi !

2. TU TE SENS TRISTE ET TU TE CONFIES À TA COPINE. COMMENT RÉAGIT-ELLE ?
    a) Elle t'écoute et te console.
    b) Elle te dit que tout ça va passer et change de sujet.
    c) Elle t'avoue que, depuis quelque temps, elle te trouve un peu chialeuse.

Chaque fois qu'on a de la peine, Kat et moi, on mange des bonbecs. Après, on rit comme des folles et on saute partout en tentant de décoller le reste de bonbon qu'on a entre les dents ! J'adore ça.

3. TA MEILLEURE AMIE FLASHE SUR UN GARÇON DE L'ÉCOLE ET TU AS ÉGALEMENT LE BÉGUIN POUR LUI. COMMENT RÉAGISSEZ-VOUS ?
    a) Aucun béguin n'entravera votre relation.
    b) Ça crée une tension, mais vous arrivez à vous entendre.
    c) Vous le tirez à pile ou face : que la meilleure gagne !

Kat et moi n'avons vraiment pas les mêmes goûts, ce qui est légèrement un avantage. Je dis « légèrement », car, vu qu'une de nos règles stipule que chaque mec qu'on choisit doit être approuvé, ça peut devenir un inconvénient si l'autre le trouve laid ou craignos. Pour l'instant, ce n'est pas un problème en ce qui me concerne, car les garçons m'énervent. Je ne comprends même pas ce qu'on devrait leur trouver. Ils puent ! (Bon, ils ne puent pas vraiment, sauf certains qui puent pour de vrai comme William Dorion, mais c'est juste que j'ai d'autres choses à faire que de m'intéresser à eux !) Et, hors sujet, quelqu'un devrait aller dire aux gens de *Miss Magazine* que personne n'utilise plus le mot « béguin »… Top ringard !

4. QUEL GENRE D'ACTIVITÉS PRATIQUEZ-VOUS ENSEMBLE ?
  a) *Vous faites pratiquement* TOUT *ensemble.*
  b) *Après l'école, vous faites souvent vos devoirs ensemble.*
  c) *Vous vous voyez surtout à l'école.*

Je dirais « tout », donc la réponse « a », encore une fois. Mais… ce n'est pas la bonne réponse ces temps-ci. Depuis notre embrouille, on ne se voit plus tellement, Kat et moi. J'aimerais tellement l'appeler !

5. SI L'UNE DE VOUS DEUX CONFIE UN SECRET À L'AUTRE, QU'ARRIVE-t-IL ?
  a) *Il faudra des archéologues pour découvrir ce secret dans un million d'années !*
  b) *Tu peux lui faire confiance, mais tu ne lui dis rien, juste au cas où.*

c) Toute l'école le saura dès le lendemain !

Assurément « a » ! D'ailleurs, je trouve que les tests manquent souvent de suspense. À un certain moment, on se rend compte que si on ne choisit que tel type de réponse, on aura le résultat souhaité. Comme je suis une fille dotée d'un bon esprit de déduction, j'ai déduit que toutes les réponses « a » me conduiraient vers mon but, c'est-à-dire qu'on me dise que Kat et moi sommes les meilleures amies du monde *4 ever and ever* !

Résultats :
UNE MAJORITÉ DE « A » :
AMIES POUR LA VIE !
Ta meilleure amie et toi, c'est du solide ! Vous avez plusieurs points en commun. Elle sait te faire rire et vous vous amusez beaucoup ensemble. Lorsque vous vous confiez quelque chose, non seulement ce secret est bien gardé, mais vous ne portez aucun jugement sur ce que vous vivez. Cette amitié est précieuse, fais-y attention !

Je n'ai pas fait attention à mon amitié. J'ai révélé un secret. Je crois que je l'ai révélé parce que je ne trouve pas que ce soit un si gros crime de kiffer Britney Spears ! Mais je n'ai pas respecté Kat qui ne voulait pas que ça se sache…

UNE MAJORITÉ DE « B » :
UNE BONNE AMIE
Vous êtes de très bonnes amies, mais vous auriez avantage à vous faire un peu plus confiance. À force de vous côtoyer, votre relation s'approfondira et se solidifiera. L'amitié est quelque chose qui se nourrit, qui se travaille. Vous avez encore bien du temps pour vous prouver mutuellement votre valeur !

Non, ce résultat ne ressemble en rien à Kat et à moi. Sauf peut-être la partie qui dit que l'amitié se nourrit et se travaille. Peut-être que je devrais utiliser cet argument.

UNE MAJORITÉ DE « C » :
L'AMIE TOXIQUE
Es-tu bien certaine que tu as fait ce test en pensant à une amie ? Si une personne te dit qu'elle est ton amie, mais qu'elle te rejette, raconte tes secrets ou parle dans ton dos, tu ne peux la considérer comme telle. Une véritable amie est digne de confiance et a envie de passer de bons moments avec toi.

Bon, j'ai raconté un mini-secret. Mais je ne l'ai pas vraiment raconté, c'est sorti tout seul de ma bouche parce que j'étais trop fière d'elle et de sa performance sur le Dance Dance Revolution ! Je ne suis pas une amie horrible ! J'ai juste fait une gaffe !

J'aimerais bien appeler Kat pour lui dire les réponses de mon test. ET POUR LUI DIRE UNE FOIS POUR

TOUTES QUE L'AFFAIRE BRITNEY SPEARS, C'EST CARRÉMENT NUL ! JE N'AI QUAND MÊME PAS RÉVÉLÉ QU'ELLE AVAIT DE L'ACNÉ SUR TOUT LE CORPS ! (Ce qui est totalement faux, soit dit en passant, je viens d'inventer ça.)

16 h 32

Je déchire la page du magazine et je mets le test dans mon sac. Ça peut toujours servir.

Samedi 24 septembre

Rien à signaler. Mais vraiment rien. Ma mère et moi sommes allées chez ma grand-mère Laflamme et elle m'a fait des crêpes. Bon, je dis « ma mère et moi sommes allées », mais la vérité, c'est que ma mère y est allée et que j'ai été obligée de l'accompagner.

Heureusement, les crêpes de ma grand-mère sont les

meilleures de l'univers ! Quoique, n'ayant jamais voyagé aux confins de la galaxie pour vérifier mon affirmation, je dois dire que c'est une opinion qui n'est fondée que sur les autres crêpes de la Terre. En fait, elle est fondée sur les crêpes que j'ai goûtées dans ma vie, donc seulement au Québec. Et puis, finalement, je n'ai pas goûté à beaucoup de sortes de crêpes, à part celles de ma mère et les déjà toutes faites. Alors, mon opinion n'est basée que sur mon goût personnel et mon instinct. Et je crois que mon instinct ne se trompe pas quand je dis que ce sont les meilleures de l'univers, car il me semble impossible de surpasser le kiffe que je ressens quand je mange les crêpes de ma grand-mère !

Les crêpes de ma grand-mère Laflamme :

Elles sont très épaisses, avec tout le tour croustillant. Quand tu les mets dans ta bouche, c'est moelleux et délicieux, et on dirait que des feux d'artifice éclatent autour de toi ! J'ai déjà demandé à ma grand-mère ce qu'elle met dedans et elle m'a répondu : « De la farine, de l'eau, un œuf, un peu de poudre à pâte et de l'essence de vanille, et je les fais cuire dans la margarine. » Détail : ma grand-mère dit « poudre à pâte » et non « levure ». Je ne sais pas pourquoi, mais chaque fois qu'elle dit « poudre à pâte », ça m'énerve grave.

Midi

Mon délire de crêpes a failli être interrompu par la question que ma grand-mère me pose chaque fois que je la vois. « Aurélie, tu n'as pas emmené ton p'tit copain ? » (Avec une voix de grand-mère, cette question sonne de façon encore plus stridente.)

Bon, d'abord, pourquoi elle dit toujours « p'tit copain » ? Est-ce parce que, en général, elle trouve que je suis une grande asperge (ce qui est vrai) incapable de séduire un garçon plus grand qu'elle (ce qui n'a jamais été vérifié) ? Ou alors elle trouve les amours de jeunesse de très petite envergure et elle croit que je ne peux pas vivre une GRANDE histoire sérieuse, mais seulement une petite histoire sans importance.

Mes grands-parents Charbonneau, les parents de ma mère, n'ont aucun contact avec ma grand-mère Laflamme et, pourtant, ils me posent toujours cette question eux aussi. J'ai dit à ma mère de les avertir de ne plus me parler de ça. Si jamais j'ai un copain (petit ou grand), ce n'est pas à eux que je vais le confier. Mais ma mère m'a dit de les laisser faire. Zéro solidarité !

Je m'emmerde ! J'ai essayé de regarder un film nul qui passait à la télé, mais même ce film était plus intéressant que la conversation de ma mère et de ma grand-mère, à laquelle je ne voulais pas participer. Et quand j'ai monté le volume pour entendre les dialogues du film plutôt que leur conversation, ma mère m'a dit de le baisser. Elle a dit, et je cite :

– Baisse le volume ! On ne s'entend plus parler ici !

C'était justement ça, le but.

Mais je ne le lui ai pas dit.

Alors j'ai mieux entendu leur conversation que le film.

G-M : Avec quoi tu vas faire ta pâte à tarte, depuis qu'on sait que ce n'est pas bon d'utiliser de la margarine ?

Ma mère : Je n'ai pas vraiment le temps de faire des tartes.

G-M : Ils disent qu'il faut mettre du beurre…

Ma mère : Ah bon.

G-M : Du beurre, ça va coûter bien plus cher.

Ma mère : Tu peux continuer à faire tes tartes comme avant, je pense que ça ne pose pas de problème.

G-M : C'est vrai qu'à mon âge j'ai survécu aux matières grasses, alors autant continuer.

Franchement, je ne sais pas pourquoi ma mère m'oblige à venir voir ma grand-mère.

1) Ma grand-mère habite à l'autre bout du monde ! (Une heure de voiture.)

2) Quand je reviens de chez elle, je pue. (C'est vrai, je ne sais pas pourquoi, mais c'est comme ça, un mélange de cigarette et de… margarine, justement.)

3) Vu que je pue, je suis obligée de prendre deux douches dans la journée, ce qui m'agace profondément, car même si j'aime sentir bon, je déteste me laver les cheveux deux fois par jour.

4) Les conversations de ma mère et de ma grand-mère m'ennuient grave.

19 h 21

Dans la voiture, je dis à ma mère que je ne veux plus y retourner. Ma mère me répond que je suis une sans-cœur étant donné que je suis la seule personne qui puisse rappeler à ma grand-mère son fils, c'est-à-dire mon père.

19 h 45

Je reste silencieuse. Le fait que ma mère dise ça m'a un peu remuée.

20 heures

Pendant le trajet, je regarde les étoiles dans le ciel. Et je me demande où est mon père dans cet infini.

21 janvier
(et jours suivants)
cinq ans plus tôt

Je me souviens que le jour où j'ai appris que je ne verrais plus jamais mon père, il faisait super froid. Le genre de froid qui te glace les os. Tout s'est passé très vite. Il est parti le matin et semblait en forme et, le soir, il n'était plus là. Décédé. Embolie pulmonaire. Il ne fumait pas et il était en bonne santé. Les médecins ne connaissent pas la cause. C'est juste… arrivé. J'ai eu de la peine. Énormément de peine. Je ne me souviens même pas si, ce jour-là, je lui ai dit au revoir avant qu'il parte. Je ne me souviens même pas si je lui ai assez dit que je l'aimais. Je ne me souviens de rien. À part que mon cœur s'est brisé en mille morceaux.

À cette époque, je ne comprenais pas trop ce qui se passait. Je n'avais jamais côtoyé la mort et je ne savais pas ce que c'était. Mon grand-père Laflamme est décédé avant que je vienne au monde, alors j'ai toujours su qu'il avait existé, et j'aurais bien aimé le connaître, mais ce n'est pas quelqu'un que j'ai, disons, perdu.

J'ai alors demandé à ma mère où était désormais mon père. Et ma mère, qui est peut-être la seule mère du monde à avoir répondu quelque chose de ce genre à sa fille de neuf ans, m'a dit qu'elle ne le savait pas. Elle a ajouté qu'il y avait plusieurs croyances à ce sujet, mais qu'aucune ne pouvait vraiment être vérifiée. Que personne ne savait ce qu'était la mort et qu'elle ne savait pas elle-même que croire : vie après la mort ? réincarnation ? Laisse tomber !

Au moment où elle m'a dit ça, elle s'est mise à pleurer, et moi, à saigner du nez. Alors, après m'avoir fait pencher la tête en arrière (ce qui n'est pas une bonne technique, à l'école j'ai appris qu'il faut la garder droite, mais ma mère semble ne pas avoir suivi les mêmes cours de premiers secours que moi), elle m'a parlé du paradis, tout en m'expliquant que mon père et elle-même n'y croyaient pas.

Ensuite, il y a eu les funérailles, les condoléances, le testament, etc.

Après ça, ma mère est devenue quasi zombie.

Sa mère, ma grand-mère Charbonneau, est venue passer quelque temps à la maison. Et tout ce qui s'est produit par la suite est assez flou dans ma mémoire.

Au début, j'avais de la peine mais, à la longue, j'ai

fini par m'y faire. Et par comprendre que mon père ne reviendrait pas. Jamais. Pas ma mère. Ça a toujours été difficile de parler de mon père avec elle. Des fois, j'ai l'impression qu'elle va mieux et j'essaie de lui en parler, mais elle devient toute rouge au niveau du cou, et des larmes lui montent aux yeux. Avec les années, j'ai compris que, quand son cou devient rouge, il faut tout de suite que je trouve quelque chose à dire pour éviter qu'elle pleure. J'ai mes trucs. Le plus souvent, j'essaie de la faire rire. Et, à mon grand soulagement, on passe à autre chose.

Ce que je trouve le plus difficile, quand je pense à mon père, c'est de ne pas trop savoir où il est et de penser qu'il a seulement disparu, comme ça, pouf.

Retour au samedi 24 septembre

20h3

Je regarde de nouveau les étoiles et j'imagine que mon père n'est pas décédé, mais qu'il est un extraterrestre de retour sur sa planète ! (Trop cool !)

20 h 4

Ben quoi ? Ce n'est pas pire que les gens qui pensent qu'Elvis n'est pas mort et qu'il habite sur une île déserte !

20 h 22

Le silence de ma mère m'a inquiétée. Quand j'ai vu le rouge lui monter au cou, je lui ai exposé ma théorie selon laquelle mon père est un extraterrestre qui vit sur une autre planète. Ma mère m'a regardée et elle s'est étouffée de rire. Et j'étais contente, car c'est la première fois qu'elle rit au sujet de ça.

Mardi 27 septembre

J'adore les cours de biologie ! Pas vraiment parce que j'aime la matière, mais parce que j'adore sœur Rose, ma prof. Pour une sœur, elle est très spéciale. Elle a les cheveux gris remontés en chignon bouffant, de petites lunettes rondes, et elle s'habille sexy. Sous un sarrau blanc de scientifique, elle porte un chandail de laine avec décolleté plongeant, plein de colliers, une jupe et des chaussures à talons hauts. Il n'y a aucune autre sœur de l'école qui s'habille comme elle ! Je la trouve rebelle.

Elle est en train de parler de l'anatomie du corps humain. Plusieurs filles rigolent dans la classe parce qu'elle dit des mots gênants. Wouaaaaaaaaaaaah ! je ne veux même pas les répéter !

Sœur Rose, c'est vraiment la plus drôle prof du monde ! Elle est amusante et ses cours sont comme un vent de fraîcheur dans une journée.

Lors du premier cours, elle a dit :

— Bonjourrr, je m'appelle Rrrrose et je ne suis pas un suc.

Chaque fois qu'elle fait une blague, elle rit un petit peu en mettant sa main devant sa bouche. Top mignonne ! La première fois qu'elle a fait cette « blague », nous n'avions pas encore appris ce qu'était un suc, mais sa « blague », qu'on ne comprenait pas, semblait faire beaucoup rire sœur Rose. Heureusement, on l'a appris quelques jours plus tard et, quand elle refait la « blague » (presque chaque fois qu'elle parle de sucs gastriques : dégueu), on ne la comprend toujours pas, mais au moins on sait ce qu'est un suc.

— Bienvenue dans le labo de bio, le plus beau local de la maison ! Regardez, il y a une, deux, trois, quatre, cinq, six fenêtres ! Pas une ! Pas deux ! Pas trois ! Pas quatre ! Pas cinq ! Six ! J'ai dit « six » ! Est-ce que j'ai dit « six » ? Oui, j'ai dit « six » !

Sœur Rose dit toujours « la maison » quand elle parle de l'école. Je crois que c'est parce qu'elle vit ici.

Ensuite, elle nous a présenté le squelette qui trônait sur son bureau, appelé Oscar. « Os-corps », a-t-elle dit en riant encore avec sa main devant sa bouche. Elle trouvait son jeu de mots trèèèèès drôle. Moi, je trouve sœur Rose bien plus drôle que ses blagues.

9 h 22

Pendant qu'elle parle, je réfléchis à ma condition d'être humain. Si je me sens si différente des autres et si je trouve les cours de biologie tellement amusants, c'est probablement parce que je n'ai rien à voir avec l'anatomie « terrienne ».

Et si ma théorie mon-père-est-un-extraterrestre n'était pas si folle ?

9 h 23

Naaa ! ça craint !

9 h 24

Si mon père est un extraterrestre, peut-être que moi, Aurélie Laflamme, j'en suis une aussi, et qu'un jour il viendra me chercher. (Tellement impossible !)

9 h 25

– La bile, c'est jaune ! C'est de la belle bile jaune ! clame sœur Rose pendant que je pense à ma théorie. Je suis peut-être une extraterrestre qu'on aurait oubliée sur la Terre après une panne de vaisseau spatial lors d'un voyage intergalactique !

9 h 26

J'espère que les extraterrestres sont aussi beaux que Max, dans *Roswell*.

9 h 27

Oh, wow ! Ce serait vraiment cool que mon père vienne me chercher et que, sur sa planète, je rencontre un genre de Max !

9 h 28

C'était quoi, le nom de l'acteur qui le jouait ? Ah oui ! Jason Behr ?

À moins que ce ne soit Brendan Fehr… C'est bizarre d'engager deux acteurs dans une même série qui ont des noms aussi semblables que rares. Hum… ça ne m'avait jamais frappée avant, mais je crois que c'est louche.
Si seulement je pouvais en parler à Kat !

— Sauvez-vous ! dit sœur Rose au moment où la cloche sonne. Sauf toi, Arianne ! ajoute-t-elle en me regardant.
Moi : Moi ?
SR : Oui.
Moi : C'est Aurélie, mon nom.
SR : Ah oui ? Désolée… (Elle regarde sur sa liste d'élèves, peut-être par peur de se faire avoir.) On est encore au début de l'année. À Noël, je vais sûrement connaître tous vos noms par cœur !
Elle replace Oscar sur son bureau et ne me regarde pas. Je me balance sur mes pieds en attendant qu'elle me dise ce qu'elle veut me dire.
Moi : Euh… sœur Rose, vous vouliez me voir ?
SR : Ah oui ! Ce que je dis en classe, ça ne t'intéresse pas ?
Moi : Si si…
SR : Tu n'écoutes pas.
Moi : C'est que… je réfléchissais.

SR : À quoi ?

Moi : Des choses...

SR : Des choses ayant rapport avec la biologie ?

Moi : Hum... genre.

SR : Ce que l'on conçoit bien s'énonce clairement et les mots pour le dire viennent aisément. (Elle a dit ça en levant son index, comme si elle était contente de caser son proverbe.)

Moi : Est-ce que vous croyez aux extraterrestres ?

SR : Tant que quelque chose n'a pas été scientifiquement prouvé, on ne peut pas dire que ça existe.

Moi : C'est drôle que vous disiez ça...

SR : Ah, pourquoi ?

Moi : Vous êtes une sœur... Vous êtes mariée avec... Dieu ?

SR : Oui...

Moi : Quelle expérience scientifique prouve son existence ?

Sœur Rose se retourne vivement vers moi et me regarde par-dessus ses lunettes.

SR : Arianne...

Moi : Aurélie.

SR : C'est en effet dichotomique.

Moi : Dico quoi ?

SR : Une contradiction.

Moi : Ah...

SR : Le débat entre la foi et la science est vieux comme le monde. Mais pourquoi poses-tu des questions sur les extraterrestres ?

Moi : Pour rien…

J'aurais pu répondre plein de choses comme : « Je ne me sens pas d'appartenance à la planète Terre » ou : « J'aimerais qu'on vienne me chercher en vaisseau spatial, car ça doit être trop cool ! » ou encore : « Si Elvis est sur une île, mon père est sur une nouvelle planète. » Mais j'ai préféré ne rien dire. De toute façon, il ne me reste que quelques minutes pour me rendre à mon prochain cours (maths) dont le local est complètement à l'autre bout de l'école.

SR : Tu sais qu'il y a de grands scientifiques qui sont devenus de grands croyants ?

Moi : Non…

SR : Plus tu apprends des détails sur l'être humain, plus tu te questionnes. Les scientifiques en question, dont je fais partie, ont de la difficulté à concevoir comment tout ça est arrivé par « hasard » (elle a fait elle-même les guillemets avec ses mains), ainsi que le veut la théorie de l'évolution de Darwin. Même la technologie a de la difficulté à reproduire ce que la nature a réussi à créer. Tu vas voir, si tu es attentive en classe cette année, tu vas découvrir des choses formidables !

Sœur Rose a parlé, parlé, parlé. Pendant au moins trois millions d'années ! Tellement que je suis arrivée en retard à mon cours de maths. En entrant dans la classe, Jocelyne m'a regardée avec des yeux fâchés et j'ai invoqué des « problèmes de filles », ce qui marche à tous les coups. J'ai vu que Kat a compris que j'ai menti, car elle m'a fait un sourire en coin.

mercredi 28 septembre

Lettre pour Kat :

Chère Kat (je précise « Kat » au cas où c'est pas toi qui la lis parce que je ne voudrais surtout pas que quelqu'un d'autre trouve cette lettre, croie qu'elle lui est adressée, la lise et découvre son contenu si ce n'est pas toi. Évidemment, je présume de la bonne foi de la personne qui pourrait trouver cette lettre et j'imagine qu'elle arrêtera de lire à

« Kat », car si cette personne ne s'arrêtait pas à ton nom en voyant pourtant que cette lettre ne lui est pas adressée, ce serait hyper machiavélique. Quoique, en écrivant tout ça, je me demande si ça ne pique pas la curiosité d'un éventuel lecteur machiavélique… Hum),
Je voulais t'écrire une lettre, mais je crois qu'il est plus sûr qu'on se parle en personne.

Aurélie

Jeudi 29 septembre

Cette semaine, j'ai déjeuné dans les toilettes et quelquefois dehors, dans un endroit éloigné, où je faisais semblant d'étudier. J'ai essayé de manger à la bibli, mais on m'a bien sûr avertie que c'était interdit. Alors, ce midi, je déjeune encore dans les toilettes. C'est l'endroit le plus sûr pour ne pas être repérée quand on est seule. Près de ma cabine, j'entends un son de canette, « pschit », puis : « Oh ! merde ! »

C'est la voix de Kat !

Moi : Kat ?

Kat : Quoi ?

Moi : Tu manges dans les toilettes ?

Kat : Ah, hein ! Pas besoin de rire de moi !

Moi : Je mange dans les toilettes, moi aussi…

Kat : C'est vrai ?

Moi : Ben… oui.

Quelqu'un entre. C'est Justine Simard et Marilou Roy-Bouchard. Elles sont en train de raconter que la fin du monde est annoncée pour 15 h 12 cet après-midi. Il paraît que c'est selon une prédiction de Nostradamus qu'elles ont trouvée sur Internet. Pfff ! Elles sont débiles de croire à des trucs pareils !

13 h 9

Justine et Marilou partent enfin après une interminable séance de maquillage et de brossage de cheveux. Justine semblait avoir un mal fou à refaire sa queue de cheval. Selon ce qu'on a entendu, beaucoup de cheveux ne voulaient pas entrer dans l'élastique. Justine a des cheveux blonds très épais et très beaux. Et elle a de gros seins. Comparativement à Kat et à moi, elle a l'air vraiment plus vieille. C'est le prototype de la belle fille. Quant à Marilou, elle est tout le contraire de Justine. Elle est petite, grassouillette et elle a les cheveux noirs coupés assez court. Depuis le début du collège, Marilou et Justine n'ont jamais été célibataires. Elles ont au moins un nouveau mec par mois (oui, bon, j'exagère !). Une fois Justine et Marilou parties, Kat et moi sortons des toilettes et je remarque que la chemise de Kat est toute mouillée. Mal à l'aise, elle dit :

– Je me suis *splouché* toute ma canette de Sprite dessus !

Moi : J'ai une chemise de rechange dans mon casier.

Kat : Tu penses que c'est la fin du monde pour de vrai ?

Moi : Ben voyons ! Justine et Marilou disent toujours n'importe quoi !

Kat : On devrait avertir monsieur Beaulieu que ça va être le chaos cet après-midi. (Elle s'avance vers le lavabo pour nettoyer sa chemise.)

Moi : Non, pas lui !

Kat : Pourquoi ?

Moi : On dirait qu'il drague ma mère !

Kat : Tu délires ! (Elle ne me regarde pas vraiment et continue de se nettoyer avec le papier pour s'essuyer les mains, ce qui laisse de petits granules bruns sur sa chemise.)

Moi : Pas question que ma mère se mette à sortir avec le directeur lorsque cinquante pour cent de la planète est constituée d'hommes !

Kat : Il paraît qu'il y a plus de femmes que d'hommes sur la planète.

Moi : Même si c'est quarante-neuf pour cent, ça lui laisse une masse de choix.

Kat : Il paraît que les femmes de quarante ans et plus ont davantage de chances d'être frappées par la foudre que de rencontrer un homme.

Moi : N'importe quoi !

Kat (en frottant frénétiquement) : Maudite chemise ! Euh… j'ai eu ta lettre.

Moi : Ah.

Kat : Je m'ennuie de toi !!!

Moi : Moi aussi !!!

Kat : Arrrrgh ! Je suis toute collée !

Moi : Relax ! Viens, on sort d'ici, de toute façon, ça pue trop la laque !

En sortant, je lui pose la question qui me brûle les lèvres depuis si longtemps :
— Tu ne trouves pas ça bizarre que, dans *Roswell*, il y avait un acteur qui s'appelait Jason Behr et un autre qui s'appelait Brendan Fehr ?

13 h 15

Justine et Marilou ont dit à tout le monde que la fin du monde était prévue pour 15 h 12. Elles sont vraiment nunuches !

13 h 31

Sœur Rose a raison : l'être humain est complexe. Puisque tout le monde panique à cause de Justine et de Marilou, je dirais que l'être humain est trop nul !

14 h 1

Par haut-parleur, M. Beaulieu a dit que les filles qui n'iraient pas en classe auraient une retenue.

14 h 4

Vu qu'il ne croit pas à cette histoire de fin du monde, M. Beaulieu grimpe dans mon estime, même s'il a dit à ma mère que je ne bossais pas assez à l'école.

14 h 5

Bosser à l'école ! J'ai une vie, moi !

14 h 6

Si on considère le fait que ma vie devrait être consacrée à mes études, il est vrai que je pourrais bosser un peu plus.

14 h 15

Marie-Claude, la prof de français, nous a dit de ne pas nous en faire. Elle nous a expliqué que, chaque année, il y a une rumeur de ce genre à l'école, prétendument appuyée sur les prédictions de Nostradamus, mais qu'aucune de ces rumeurs ne s'est jamais concrétisée.

15h1

Il reste onze minutes avant la « supposée » fin du monde.

15h7

Évidemment, tout le monde est agité et personne ne suit le cours de français. On s'en fout, des participes passés, lorsqu'on sait qu'il ne nous reste que quelques minutes à vivre sur la planète !

15h10

Marie-Claude nous a fait perdre de précieuses minutes de notre temps en nous obligeant à faire un exercice nul, sans oublier de préciser que les points comptaient. Quelle idée de faire un test-surprise juste avant la fin du monde ! (Soudain, la fin du monde me semble être une très bonne solution à mes problèmes scolaires.)

15h12

Je penche la tête, juste au cas où quelque chose de très gros tomberait. Je me demande comment arrivera la fin du monde. Kat n'est pas dans le même cours de français que moi. Étant bonne en français (à part pour

les participes passés), je suis dans un groupe de surdoués (terme inapproprié, selon moi, surtout depuis le
commentaire de Beaulieu, oups !... « monsieur » Beaulieu), mais pas Kat.

15 h 13

Il n'y a pas eu de fin du monde.

15 h 20

Marie-Claude nous a dit de prendre un crayon rouge et
de corriger nous-mêmes notre copie selon les réponses
qu'elle donnerait. J'ai été tentée, lorsqu'elle avait le dos
tourné, de corriger mes fautes et de me mettre tout
bon, mais Anouk Lessard me regardait et j'avais peur
qu'elle me dénonce. J'ai eu 6/10.
C'est toute cette affaire de fin du monde qui m'a
déconcentrée !

15 h 30

Si l'être humain est si « parfait », pourquoi est-il obligé
d'aller à l'école ?

19 h 27

Quand ma mère est arrivée, je lui ai raconté l'anecdote
de la fin du monde. Je lui ai dit que j'avais eu 6/10 à
un test sur les participes passés et que c'est moi qui ai

eu la note la plus mauvaise de la classe. Avec un clin d'œil, elle m'a dit :
– Ce n'est pas la fin du monde !
Et elle a tout gâché en ajoutant :
– Tu n'as pas fait la vaisselle ?

Note à moi-même : je me demande à partir de quel âge ma mère a commencé à devenir une obsédée du ménage.

Note à moi-même n° 2 : m'assurer que ce n'est pas héréditaire.

Note à moi-même n° 3 : si ça l'est, tenter de consacrer les prochaines années de ma vie à la recherche d'un vaccin contre l'obsession du ménage.

20 heures

Kat m'a appelée et on a parlé un peu de *Roswell*. Pas seulement du fait qu'on s'ennuie de la série, mais également de ma théorie sur l'étrangeté de retrouver deux acteurs avec des noms bizarres dans la série. Elle m'a dit que, pour nous qui portons des noms ordinaires comme Demers (elle) et Laflamme (moi), des noms comme Behr (Jason) et Fehr (Brendan) semblent bizarres, mais pour des gens qui portent des noms comme Behr et Fehr, des noms comme Demers et Laflamme pourraient avoir l'air bizarres. Hum... pas fou.

21 heures

La vraie fin du monde, ça aurait été de ne jamais me réconcilier avec Kat (ou que ma mère m'oblige à nettoyer le frigo...).

octobre

Des astres non favorables

Kat trouve que mon histoire d'extraterrestre, c'est franchement nul (pas seulement pour *Roswell*, qui est considérée comme une affaire classée depuis qu'on a tranché que les noms des acteurs de la série ne constituent pas une preuve de conspiration extraterrestre, mais surtout à propos de mon père). Je ne lui ai rien dit, mais je trouve tout aussi nul de croire dur comme fer qu'elle se mariera un jour avec David Desrosiers du groupe Simple Plan ! Sur le chemin de la salle de jeux (où Kat tient à m'emmener pour une « surprise »), elle me parle d'ailleurs depuis au moins quatre minutes de son amour inconditionnel pour lui.

Kat : T'as vu comment il tient sa basse ? Et son look, c'est trop mimi ! Il est trop top !

Moi : Pas mal, si on aime les cheveux sales.

Kat : Ah, Au', t'es vraiment nouille ! Il n'a pas les cheveux sales, c'est du gel !

Kat m'appelle « Au' », à ne pas confondre avec « eau »,

ni la lettre « o ». Parfois, ça peut créer une certaine confusion chez moi, lorsqu'elle me dit, par exemple : « Peux-tu m'apporter du papier, Au' ? » et que je n'entends pas le mot « papier » parce qu'il y a interférence extérieure, et que je lui apporte de l'eau parce que j'ai compris : « Peux-tu m'apporter eau ? » Je sais très bien que Kat ne parle pas comme une femme des cavernes et qu'elle aurait pris soin de dire « de l'eau », mais, au moment où j'entends cette phrase, je crois que l'interférence en question n'a coupé que le « de l' ». Bon, je donne cet exemple seulement parce que c'est arrivé hier matin pendant le cours d'arts plastiques (cata plastique, pour ceux qui, comme moi, n'ont pas de talent).

13 h 10

Nous sommes à la salle de jeux, devant le Dance Dance Revolution. Kat m'a dit que, pour me faire pardonner, je devais danser sur *Oops, I Did It Again*, de Britney Spears. Le problème, c'est que Kat est bonne à ce jeu, mais, moi, je suis nulle. Je n'en reviens pas qu'elle tienne absolument à ce que je danse là-dessus pour me faire pardonner un secret qui n'en est pas vraiment un. Je croyais que notre embrouille était maintenant une affaire classée !

Je me résigne et m'installe sur la plate-forme. Je regarde les flèches par terre. Kat insère les jetons dans l'appareil et choisit elle-même *Oops, I Did It Again* en me regardant avec des yeux triomphants (ou moqueurs ? ou vengeurs ? ou… n'importe quoi !). Je trouve qu'elle exagère un peu. Franchement ! Je pensais que notre embrouille était réglée. Pas qu'elle allait me sortir une espèce de vengeance débile ! Oups, la musique joue.

Un pied à gauche. (Ha ! ha ! ha ! J'ai dit « oups », comme dans la chanson.)

Un pied à droite. (Hé, je ne suis pas si nulle que ça à ce jeu, finalement !)

Deux fois en arrière. (Hein, ça va vite ! Je ne l'ai pas vu venir, celui-là…)

Deux fois sur les côtés. (Quoi ?)

Non, c'est un saut. (Je jette un coup d'œil à Kat, qui se retient pour ne pas faire les pas en même temps.)

Un pied en avant.

Deux pieds sur les côtés.

Au secouuuuuuurs ! Je fais tout de travers !

13h20

Je descends de la plate-forme, un peu honteuse.

Kat rit. Elle jure qu'elle ne rit pas de moi, mais avec moi. Franchement, je ne comprends pas pourquoi les gens disent ça. Si la personne qui fait rire (en l'occurrence moi, en ce moment) ne rit pas elle-même, comment peut-on affirmer qu'on rit avec elle ?

Kat : Oh ! Prends pas ça mal !

Moi : Ben non, mais...

Kat : C'était juste pour rire ! J'ai eu honte quand tu as dit devant tout le monde que je m'étais exercée sur du Britney Spears.

Moi : Tu devrais t'assumer ! Il paraît que le Britney Spears Dance Beat, c'est le jeu préféré de Jeff Stinco, de Simple Plan !

Kat (un peu bouche bée) : C'est vrai ?

Moi : Oui, je l'ai lu dans *Miss Magazine* !

Kat : Je suis sûre que ce n'est pas vrai ! Ou que Jeff était ironique ! Et puis... j'avais droit à ma revanche !

Moi : Une vraie revanche aurait été que tu dises à tout le monde que j'aime *La Petite Sirène* !

Kat : HÉ, TOUT LE MONDE, AU' adore...

Je lui mets la main sur la bouche et on commence à pouffer de rire en révélant de faux secrets devant tout le monde, chacune essayant de faire taire l'autre en lui bouchant le nez ou en lui mettant la main sur la bouche.

Moi : Kat ha ! ha ! ha ! met des Kleenex dans son soutif !
Kat : Au' dort sur une ha ! ha ! ha ! taie d'oreiller avec
la tête de Robert Pattinson !
Moi : Kat pense ha ! ha ! ha ! que dans cinquante ans
ha ! ha ! ha ! le monde va plus se rappeler de 'N SYNC
ha ! ha ! ha ! que des Beatles !

14h1

Finalement, notre petite scène n'a pas plu, car on s'est
fait mettre à la porte. En sortant, j'ai laissé tomber
quelques objets de mon sac. Au cours de notre, disons,
petit affrontement, Kat a ouvert mon sac par inadver-
tance. Quand je m'en suis rendu compte, j'étais déjà
sortie et le vigile nous regardait d'un œil réprobateur, et
même si je lui faisais des signes pour lui montrer mes
affaires par terre, il ne bronchait pas. Je crois qu'il pensait que je me moquais de lui parce que je lui adressais
des signaux incompréhensibles (selon lui) par la fenêtre.
Puis j'ai vu un garçon qui ressemblait à Ryan Sheckler,
avec les oreilles moins décollées, ramasser mes trucs.

QUI EST RYAN SHECKLER ?
(selon Miss Magazine)
RYAN SHECKLER (Champion de skate).
NOM COMPLET : Ryan Allen Sheckler.
SURNOM : Shecky.

DATE DE NAISSANCE : *Le 30 décembre 1989.*
SIGNE ASTROLOGIQUE : *Capricorne.*
FRÈRES ET SŒURS : *Il a deux frères cadets, Shane et Kane.*
SIGNES PARTICULIERS :
• *Il adore tous les films de la série James Bond.*
• *Il n'aime pas les gens qui se plaignent pour rien.*
• *Il est passionné par la science.*
Site officiel : *www.ryansheckler.com*

Petit secret : je trouve Ryan Sheckler vraiment beau. Il a une belle bouche et ses cheveux blonds un peu longs flottent d'un côté et de l'autre. Et quand il fait du skate longtemps, ses cheveux deviennent un peu mouillés (seulement dans mes rêves, car je ne l'ai jamais vu faire du skate en vrai). Ma passion pour Ryan n'est pas aussi puissante que celle de Kat pour David (mais au moins, je flashe sur des mecs de mon âge, moi), mais disons que je le trouve plutôt bien. Whouuuu !

Mais peu importe mon admiration pour la beauté de Ryan Sheckler, le garçon qui lui ressemblait VOLAIT MES AFFAIRES !

J'ai crié au gardien :

– Hé ! regarde ! Il vole mes affaires !

14h5

Le sosie de Ryan Sheckler est sorti et m'a donné mes

affaires : une paire de lunettes de soleil, mon test « Êtes-vous amies pour la vie ? » et… un tampon.

J'ai pris les lunettes, le test, mais j'ai regardé le tampon d'un air pincé et j'ai lancé :

– Ce n'est pas à moi… (Ce que tout le monde aurait fait.)

Il a dit :

– Je l'ai vu tomber de ton sac. (Il me regardait ?)

J'ai dit :

– Non, non, t'as dû te tromper. (S'il est intelligent, comme l'est sûrement le vrai Ryan, il comprendra que la situation me gêne énormément et il laissera tomber pour le tampon !)

J'ai ajouté (parce que personne ne disait rien, malaise !) :

– Je ne vois pas comment un tampon aurait pu arriver là.

J'ai regardé Kat, et mes yeux lançaient un message très clair : « Au secours, viens à ma rescousse, s'il te plaît, s'il te plaît ! »

Alors Kat, comme si elle avait entendu mes pensées (vive mes dons de télépathie !), est intervenue :

– Ce n'est pas un tampon ! C'est une flûte miniature portative !

J'ai regardé Kat, abasourdie, avec tous les points d'interrogation que je pouvais mettre dans mon regard.

71

Le sosie de Ryan nous a dit, sans broncher :
– Tiens, votre flûte.
Kat a pris le tampon et Faux-Ryan est parti.

14 h 10

Moi : Kat... Rapport ? ! ? Une flûte miniature portative ! Rapport ? ! ? !!!!!!!

Kat : Excuse-moi ! Ha ! ha ! ha ! Je voyais que le garçon t'intéressait et j'ai remarqué ton malaise quand
il t'a tendu le tampon, ha ! ha ! ha ! et j'ai essayé de
te défendre et c'est la première idée, ha ! ha ! ha ! qui
m'est passée par la tête !

Moi : Mais si le garçon m'intéressait, ce qui est totalement faux en passant, il va penser que je joue de la
flûte avec des tampons !

Kat : Ha ! ha ! ha ! J'essayais de trouver quelque chose,
ha ! ha ! ha ! et je me suis dit que ça pouvait, ha ! ha !
ha ! avoir la forme d'une flûte, ha ! ha ! ha ! et j'ai dit
ça. Ha ! ha ! ha !

14 h 15

Fou rire interminable. Kat a sorti le tampon de son enve-
loppe et a placé sa bouche sur l'embout. Elle a ensuite
placé ses doigts sur le reste du tampon et elle a fait semblant de jouer de la flûte. Parfois, elle tirait même sur le

cordon, comme si ça faisait partie de « l'instrument ». Et elle chantait : « Tou tou lou tou tou lou tou tou lou tou. » On a tellement ri ! À en avoir mal au ventre. Kat a dit qu'elle voulait garder le tampon-flûte en souvenir d'un des plus gros fous rires de sa vie.

15 h 50

On a rangé la flûte chez elle, dans sa boîte à souvenirs, après l'avoir enroulée dans le test « Êtes-vous amies pour la vie ? ». Kat m'a dit qu'elle aurait répondu exactement les mêmes choses que moi.
Kat : Au', tu crois que ça se voit vraiment, les Kleenex dans mon soutif ?
Moi : Quoi ? ! ? Tu mets des Kleenex dans ton soutif ? Désolée, mais quand j'ai dit ça tout à l'heure, je ne savais pas que tu le faisais pour de vrai…
Kat : Mais non ! Je me fiche de toi ! Ha ! ha ! ha ! ha !

16 heures

En revenant chez moi, je me dis que je n'aurais jamais pensé à essayer de faire croire à quelqu'un qu'un tampon était une flûte miniature. Kat est vraiment trop drôle !

22 heures

Je suis incapable de me concentrer sur la BD que je suis

73

en train de lire. Car je suis gênée par rapport à Faux-Ryan. J'espère qu'on ne le reverra pas. Il faut vraiment qu'on ne remette plus jamais les pieds dans cette salle de jeux.

22 h 10

De toute façon, on s'est fait mettre à la porte.

22 h 15

De toute façon n° 2, je m'en fous grave, de ce garçon-là !

22 h 16

Une taie d'oreiller avec la tête de Robert Pattinson imprimée dessus… Hum, ce serait d'un goût !

Dimanche 2 octobre

Réveil totalement brutal ce matin. Je rêvais que je faisais du skate avec Ryan (total improbable, puisque je ne fais pas de skate) puis, dans le rêve, un camion de pompiers a foncé droit sur nous. J'ai ouvert les yeux et je me suis rendu compte que ça sonnait à la porte. J'ai regardé l'heure : 9 h 22. Beaucoup trop tôt pour sortir de mon lit un matin de week-end. Surtout qu'hier, j'ai lu des BD jusqu'à minuit. (Chut ! J'ai fait semblant de dormir quand ma mère est venue me souhaiter bonne nuit, mais j'avais ma BD cachée à côté de moi et je l'ai ressortie quand elle est partie. Ni vu ni connu ! Top Ninja.)

– Mamaaaaaaaaaaaaaaaaaaaan !

Pourquoi elle ne répond pas à la porte ?

Ça sonne une autre fois. Je vais à la porte pour répondre. J'ouvre. Il y a deux femmes. L'une tient un aspirateur et l'autre me dit :

– Peut-on parler à la maîtresse de maison ?

(J'ai l'air de quoi, moi, d'un éléphant ?)

Moi : Non, elle n'est pas là. Euh… si, elle est là, mais elle est dans le bain. Et elle fait du karaté. Enfin, elle ne fait pas du karaté dans le bain, mais elle sait en faire dans la vie.

(Ouh là là ! Un peu plus et je révélais que j'étais seule à la maison et, du coup, elles auraient pu m'enlever ou je ne sais quoi !)

Femme avec aspirateur : Quel est le meilleur moment pour repasser ?

Moi : Ma mère le fait toujours après le lavage. (Ha !
ha ! ha ! Je suis trop fière de ma blague !)

Femme avec aspirateur : Ho ! ho ! ho ! T'es mignonne !
(Mignonne ? Rapport ? ! ?)

Femme avec aspirateur : Je recommence, quel est le
meilleur moment pour revenir ? Ho ! ho ! ho ! (Son rire
est un mélange de père Noël et de souris qui se fait
marcher sur la queue.)

Moi : Euh… jamais. On a déjà un aspirateur. Et ma
mère est très occupée avec ses cours de karaté. Pas
qu'elle s'absente souvent pour aller à ses cours, mais elle
pratique, ici, tous les jours.

Femme sans aspirateur : Tiens, voici notre carte, si
jamais ta mère le désire, on viendra faire une démons-
tration gratuite.

10 h 15

Ma mère entre.

Moi : Où est-ce que t'étais ? J'ai failli me faire attaquer !

Ma mère : Par qui ?

Moi : Par des vendeuses d'aspirateurs. Je leur ai dit que
tu faisais du karaté.

Ma mère : Ah bon !

Moi : T'étais où ?

Ma mère (en déposant ses sacs sur le comptoir) : Je suis
allée faire des courses. Et je t'avertis tout de suite, ne

prévois rien pour aujourd'hui, parce que c'est le bordel ici et qu'on va faire le ménage toute la journée.

Moi (lui montrant la carte des vendeuses d'aspirateurs) : Appelle ces femmes-là. Elles vont passer l'aspirateur gratuitement !

Ma mère m'a regardée avec un de ces airs ! Comme si je venais de dire quelque chose de complètement incongru ! Genre : « J'adore le foie de veau. » On se fait réveiller par des femmes qui nous donnent une carte pour nous offrir un service, alors je ne vois pas pourquoi on n'en profiterait pas !

11h34

C'est moi qui nettoie la salle de bains. Pourquoi je nettoie toujours la salle de bains ? Ma mère me dit que c'est parce que je suis bonne pour ça. Franchement ! Elle n'a vraiment aucun don pour la psychologie, car elle pourrait m'encourager à faire des choses dans lesquelles j'ai un réel avenir !

11h36

Kat m'a appelée pour aller faire du shopping. Je lui ai répondu que je ne pouvais pas parce que ma marâtre de mère a décidé qu'on faisait le ménage. Kat a dit : « Bye, Cendrillon », et elle a raccroché en faisant notre bruit de tampon-flûte, « tou tou lou tou tou », ce qui m'a fait rire avant que je reprenne ma tâche hyper naze.

Si les vendeuses d'aspirateurs m'avaient enlevée, je crois que j'aurais passé une meilleure journée (à moins qu'elles ne m'aient forcée à faire les démonstrations d'aspirateurs, dans ce cas, ça aurait été du pareil au même).

Midi

Ma mère et moi, on s'est fait des sandwiches. Je lui ai raconté la blague que j'ai faite aux vendeuses d'aspirateurs sur le repassage et elle a vraiment ri. Puis elle m'a dit qu'elle connaissait quelques trucs de karaté.

Moi (en prenant un morceau de fromage) : T'as déjà pris des cours de karaté ?

Ma mère (en mettant son doigt dans sa bouche pour enlever une goutte de moutarde) : Oui, avec ton père. C'est lui qui m'y avait obligée.

Moi (après un petit silence) : Est-ce que tu penses à lui parfois ?

Ma mère : Oui, souvent. Mmm, as-tu goûté à ton sandwich ? Ce pain-là est vraiment bon !

Moi : Des fois, je me demande où il est. (Non dit, parce que ça lui ferait de la peine : ça me rend triste de penser qu'il n'est qu'un squelette dans une tombe, sous terre.)

Ma mère : Il est... avec nous, je pense.

Soudain, son cou est devenu rouge, comme chaque fois que j'aborde ce sujet, et elle a arrêté de manger son sandwich. Avant que les larmes lui montent aux yeux, j'ai dit :

– Quoi ? ! ? ! ? ! ? ! ? Tu veux dire que c'est un fantôme ? !!!!!

Ma mère : Mais non, je parle de son souvenir, qui est en nous.

Moi : On est possédées ? ! ? !!!

Ma mère : Aurélie, franchement ! Bon, assez parlé de ça.

Elle a vite ravalé ses larmes. Ce qui est une bonne chose, car quand on en vient là, ça n'arrête plus et ça laisse planer une énoooorme tension dans la maison pour tout le reste de la journée.

15 h 6

Le ménage est terminé, mais j'ai décidé de glander tout le reste de la journée. Je me suis fait réveiller super tôt et j'ai été obligée de faire l'esclave, alors je ne suis plus capable de rien !

22 h 10

Je suis incapable de dormir.

22h11

« Son souvenir est en nous »... Ici ? en ce moment ?

22h12

Est-ce que mon père est un esprit et qu'il me hante ?
Dieu, si vous existez, gardez mon père avec vous. Il est
bien là où il est, je ne veux plus le voir !

22h13

Whouaaaaaaaaaaaaaa ! J'ai entendu un craquement ! Au
secouuuuuuuuuuuurs ! Un fantôôôôôôôôôôôôôme !

22h15

Par mesure de sécurité, j'ai décidé d'aller rejoindre ma
mère dans son lit.

22h25

Je suis quand même incapable de dormir, même si le
lit de ma mère est hyper confortable. Comment ça se
fait que mon lit à moi soit dur comme de la roche ?
Je décide de le lui demander. Je chuchote, juste au cas
où elle dormirait.
Moi : M'man ? Est-ce que tu dors ?
Ma mère : Qu'est-ce qu'il y a, ma puce ?
Moi : M'appelle pas « ma puce », c'est naze comme
surnom.

Ma mère : Qu'est-ce que tu veux ?
Moi : Comment ça se fait que je n'ai pas un lit aussi confortable que le tien ?
Ma mère : Aurélie, dors, là !
Ma mère réussit toujours à s'en sortir avec des arguments nuls.

Au palmarès aujourd'hui :

En troisième position :
Ma mère : Fais le ménage !
Moi : Pourquoi ?
Ma mère : Parce que je te le demande.
Wow. Convaincant.

En deuxième position :
Ma mère : Fais la salle de bains.
Moi : Pourquoi ?
Ma mère : Parce que t'es bonne là-dedans.
Wow. Très valorisant.

En première position :
Moi : Pourquoi je n'ai pas un aussi bon lit que le tien ?

Ma mère : Chut ! Dors, là.
Wow. Instructif.

Je crois que toutes les organisations mondiales qui veulent faire avancer leur cause devraient faire appel à ma mère, elle semble avoir des arguments de poids.
Évidemment, je suis très sarcastique. J'imagine très mal ma mère arriver devant le Président des États-Unis pour le convaincre d'arrêter la guerre avec ses piteux arguments.
Ma mère : Arrête la guerre !
Président : Pourquoi ?
Ma mère : Parce que je te le demande.
Président : Pourquoi c'est moi qui devrais arrêter la guerre ?
Ma mère : Parce que t'es bon là-dedans.
Président : Et si nous perdons notre titre de plus grande puissance du monde ?
Ma mère : Chut ! Dors, là.
Président : Ah bon, d'accord ! Rapatriez les troupes avant ma sieste !

Chose importante à faire : dire à ma mère de travailler son argumentation.

Je me réveille dans le lit de ma mère et elle me dit : « Bien dormi ? » Je lui ai pourtant dit cent fois de ne pas me demander ça ! Elle est sourde ou quoi ? Je n'aime pas qu'on me demande si j'ai bien dormi, bon ! J'ai fait le calcul : si je vis jusqu'à quatre-vingt-quinze ans et qu'au moins une personne par jour me pose la question, je vais devoir y répondre 34 675 fois. Si deux personnes par jour me la posent, on grimpe à 69 350 fois ! J'aimerais conserver mon don de la parole pour des affaires plus utiles !

7h 33

Ma mère chantonne. Je ne comprends pas ce qu'elle a. Hier, elle n'était pas comme ça. Qu'est-ce qui lui prend ?

7h 34

Ma mère me donne un bisou sur la joue. Beurk, dégueu ! Je ne dors plus jamais dans son lit, peu importe le nombre de fantômes qui se promènent dans ma chambre !

8 h 15

Ma mère a proposé de me conduire à l'école. Avant que je sorte de la voiture, elle me donne un autre bisou sur la joue. Grrrr. Je déteste qu'elle fasse ça devant tout le monde, surtout si, en plus, elle a du rouge à lèvres !

8 h 20

Kat et moi sommes dans les toilettes et Kat essaie de nettoyer le rouge à lèvres que ma mère a laissé comme empreinte sur ma joue. Kat pense que ma mère est amoureuse.

Moi : Je pensais ça, moi aussi, mais finalement c'est impossible ! Hier, elle avait encore les larmes aux yeux à cause de mon père.

Kat : Elle aura peut-être toujours les larmes aux yeux à cause de ton père.

Moi : Oui, mais elle attendrait de ne plus avoir les larmes aux yeux à ce sujet avant de rencontrer quelqu'un, non ?

Kat : Il n'y a pas quelqu'un qui l'intéresse ? De qui elle te parle ?

Moi : Hum… non. Mais…

9h15

Kat et moi avons décidé de sécher le premier cours. Pour Kat c'est géo, pour moi, c'est français. Nous nous tenons derrière la porte de Denis Beaulieu et nous tentons d'écouter sa conversation téléphonique. Il parle de budget de je-ne-sais-pas-trop-quoi. Kat me fait plein de signes de tueurs en série, comme si elle voulait se trancher la gorge. Je lui réponds, aussi par signes, que je ne comprends pas d'où vient sa violence excessive ! Mais aucune de nous ne semble comprendre les signes de l'autre.

9h25

La cloche sonne. Nous devons aller à notre deuxième cours.

Moi : Dis donc, Kat, c'était quoi, ton histoire de tranchage de gorge, et tout ça ?

Kat : Tu ne comprends pas les signes de mission ! Se passer le pouce sur la gorge, ça veut dire qu'on aurait dû interrompre la mission. Tu voyais bien que sa conversation n'avait aucun rapport avec ta mère !

Moi : Ah… je pensais que tu voulais lui trancher la gorge. Je te trouvais un peu… excessive.

Kat : On a assez manqué de cours pour aujourd'hui.

Moi : On en a manqué juste un, pousse pas !

Denis Beaulieu arrive devant nous. Il nous regarde, les mains sur les hanches.

Denis Beaulieu : Les filles ! Vous avez manqué un cours.

À ce moment, j'ai l'impression qu'il est un géant, alors que Kat et moi sommes des lilliputiennes.

Kat : Aurélie avait des… problèmes de… filles.

Je la regarde avec découragement.

Denis Beaulieu : Quel genre de problèmes, Aurélie ?

Moi : Problèmes de…

Kat me fixe et met son pouce sur sa gorge. Je la regarde, l'air de dire : « Franchement, tu abuses de ce signe », mais je ne sais pas si elle a compris ma tentative de télépathie, cette fois-ci.

Moi : Des problèmes, disons, personnels.

Denis Beaulieu : Bon, les filles, vous connaissez le règlement. Vous êtes toutes les deux en retenue après l'école.

Sur le coup, quand il a dit ça, je me suis sentie découragée, mais, par la suite, j'ai réfléchi et j'ai pensé que si j'avais une retenue tous les soirs de l'année, il ne pourrait pas sortir avec ma mère. Alors, j'ai dit :

– Super ! Euh… je veux dire… d'accord, on comprend.

Midi

Kat m'a fait un interminable sermon sur le fait que je devrais laisser plus de liberté à ma mère. Que je n'aimerais pas qu'elle intervienne dans mes amours à moi et bla bla bla bla bla bla bla bla, ça n'en finissait plus ! Qu'est-ce qu'elle peut bien comprendre à ça, elle ? Elle est née avec un kit familial complet : parents (deux), sœur (une) et hamster (un). Bon, j'avoue que le hamster est très optionnel dans un kit de famille parfaite, un chien s'approche davantage de la perfection. Un hamster, c'est comme un sous-animal de compagnie. Genre, tes parents n'ont pas voulu que tu aies un animal-vedette (chien, chat, poney), mais tu les as tellement saoulés qu'ils ont accepté, par dépit, d'adopter un animal « de soutien » (poisson, tortue, hamster, cochon d'Inde). Les hamsters et les cochons d'Inde sont les plus cool, vu que tu peux développer, disons, une certaine complicité avec eux.

16 h 10

Denis Beaulieu a annulé la retenue. Il m'a suggéré de régler mes problèmes personnels et il a dit, je cite : « Tu diras bonjour à France. » Il n'a pas dit : « Tu diras bonjour. » Il a dit « bonjour ». Et il a dit « à France », pas « à ta mère ». Sur le coup, j'étais tellement surprise que j'ai demandé :
– À qui ?
Car je n'appelle jamais ma mère France. Alors, ça m'a, disons, surprise.

Et là, Kat a lancé (sur un ton que je qualifierais de provocant) :
– Voulez-vous que je dise « bonjour » à mes parents aussi, monsieur Beaulieu ?
Et il a répondu :
– Bien sûr !

20 h 55

Kat et moi sommes au téléphone et nous analysons la situation. Conclusion : il se trame quelque chose entre Denis Beaulieu et ma mère.

21 heures

Conclusion de la conclusion : je le savais !

Mercredi 5 octobre

Oh ! mon Dieu ! Oh ! mon Dieu ! Oh ! mon Dieu ! J'ai revu Faux-Ryan.

Voilà comment ça s'est passé.

Kat voulait aller danser sur le Dance Dance Revolution après l'école. Mais comme on s'est fait mettre à la porte de la salle de jeux la semaine dernière, elle a pensé qu'il valait mieux qu'on en trouve une autre. Alors, on est allées ailleurs et, pendant que Kat dansait sur la plate-forme, Faux-Ryan est arrivé à côté de moi.

Au début, je ne l'ai pas vu.

Mais là, il m'a donné une tape sur l'épaule, enfin, pas vraiment sur l'épaule, mais un petit peu plus bas (donc sur le bras ? réviser mes notes de bio) et il l'a fait avec les revers de son index et de son majeur (impression non confirmée, peut-être seulement dans mon imagination).

En passant, Ryan sent le bon assouplissant. Je ne sais pas lequel parce que, franchement, je ne suis pas une experte en lessive. Par contre, je sais qu'il ne sent pas le parfum, mais qu'il sent top bon. Et quand il parle, j'ai remarqué qu'il a une odeur de chewing-gum, je dirais, au melon. Donc, j'étais là, à regarder Kat, quand Faux-Ryan m'a fait signe d'observer une femme un peu plus loin et m'a dit :

– Hé ! R'garde, on dirait qu'elle est arrivée direct des années quatre-vingt.

Et là, en voyant la femme avec un sweat-shirt, un jeans super serré et un toupet crêpé, j'ai répondu et je cite :
— Ah oui, c'est hyper démodé, le croupette toupé, poucrette coûté, touquette proûté… Ah ! oublie ça. Bye.
Et je suis partie sans regarder Faux-Ryan, ni dire à Kat que je partais.

20 h 30

(alors que je pense à ma phrase super-débile-tous-les-qualificatifs-nuls-du-monde)

Kat me téléphone.

Kat : Dis donc, pourquoi t'es partie ?

Moi : Je m'excuse, mais c'est parce que j'ai fait une super gaffe et je voulais aller me cacher pour le reste de ma vie et tu n'avais pas fini ton jeu et là il fallait absolument que je parte avant de perdre complètement la face devant…

Kat : Mais non, ce n'est pas grave ! Le fait que tu sois partie et que je te cherche m'a porté chance !

Moi : T'as gagné au Dance Dance Revolution ?

Kat : Ben oui, mais…

Moi : Mais quoi ?

Kat : Mais ce n'est pas ça ma chance.

Moi : Ah, ben là, dis-le tout de suite, si tu veux toujours y aller toute seule, à la salle de jeux !

Kat : Mais non ! Au début, j'étais super fâchée que tu sois partie, mais, après, j'étais moins fâchée.

Moi : Pourquoi ?

Kat : Parce qu'en te cherchant, j'ai rencontré un garçon. Quand Kat m'a dit ça, j'ai senti mon cœur sortir de ma poitrine, se propulser sur un mur de ma chambre, rebondir sur un autre mur et sortir par la fenêtre, tomber dans la rue, puis ensuite être écrasé par un quinze tonnes. J'ai tout de suite pensé qu'elle avait rencontré Faux-Ryan et qu'elle l'avait ébloui par sa performance de danse et non par une phrase remplie de lapsus débiles !

Moi : Ah oui ? c'est qui ?

Kat : Jean-David Truchon.

Moi : Truchon ?

Kat : Truch, pour les intimes.

Moi : Parce que vous êtes « intimes » ?

Kat : Ben… non. Pas encore. (Elle a vraiment dit « pas encore » !!!)

Moi : Euh… il est comment… physiquement ?

Kat : Il est super beau ! Un beau genre, style cheveux bruns, yeux bruns, beau tee-shirt rouge…

Moi : Ah, d'accord. Il ne ressemble pas du tout à Ryan Sheckler ?

Kat : Non ! Vraiment pas !

Moi : Ce n'est pas le garçon du tampon-flûte ?

Kat : Et puis quoi encore ? Je n'aurais jamais été

intéressée par un garçon qui t'intéresse ! Tu me prends pour qui ?

Moi : Hé ! il ne m'intéresse pas du tout, le garçon du tampon-flûte. Et puis il s'appelle « Faux-Ryan », soit dit en passant !

Kat : Comment ça, « Faux-Ryan » ?

Moi : Ben, le garçon du tampon-flûte, il ressemblait à Ryan Sheckler, non ?

Kat : Hein ? Rapport ? ! ?

Moi : Tu ne connais rien à Ryan Sheckler !

Kat : Ben, j'en connais assez pour dire que le garçon du tampon-flûte ressemble à Ryan Sheckler autant que Denis Beaulieu ressemble à Johnny Depp !

Moi : Me parle pas de lui ! En tout cas, peu importe, on ne l'appelle plus « le garçon du tampon-flûte », c'est Faux-Ryan !

Kat : Eh ben Truch, ce n'est pas Faux-Ryan !

Moi : D'accord, on a compris.

Le quinze tonnes a reculé (mip mip mip mip mip), mon cœur est remonté par la fenêtre de ma chambre, et il a ainsi refait toute sa trajectoire de rebonds sur les murs pour revenir bien à sa place, dans ma poitrine.

20 h 55

J'ai terminé la conversation en disant à Kat que je trouvais que Truch était un surnom vraiment nul qui résonnait à mes oreilles comme s'il était un profond débile, et Kat a dit qu'elle était bien d'accord, mais que quand je verrais le garçon qui, paraît-il, ne ressemble en RIEN à David Desrosiers, je trouverais un certain charme au surnom (pas à cause du surnom lui-même, mais à cause du garçon).

22 heures
Croupette toupé ! Franchement !

22 h 3
Pouquette croûté ! Aaaaaaah ! Je suis vraiment stupide !

22 h 5
Touquette proûté ???

22 h 7
HA ! HA ! HA ! HA ! HA ! HA ! HA ! HA ! HA ! HA ! HA ! HA ! HA ! HA ! HA !

22 h 10
Je me demande sérieusement pourquoi j'ai eu l'impression que mon cœur se faisait écraser par un quinze tonnes quand Kat m'a dit qu'elle avait rencontré un garçon et que j'ai pensé que c'était Faux-Ryan.

22h15

Les garçons m'énervent. Ça ne changera pas. C'est seulement parce que j'ai perdu toute dignité humaine devant lui, c'est clair ! Et que si Kat sortait avec lui, je serais obligée de revoir très souvent quelqu'un devant qui j'ai perdu ma dignité. C'est tout.

22h25

Croupette toupé ! HA ! HA ! HA ! HA ! HA ! HA ! HA ! HA ! HA ! HA ! Je n'en reviens pas !

22h30

Ma mère (de sa chambre) : Aurélie ! Es-tu encore en train de lire des BD ? Tu as école demain !
Moi (en silence) : Mui mui mui mui mui.

23 heures

TOUPETTE CRÊPÉ ! C'EST FACILE, NON ????????????

Kat pense que, si on vivait dans un film, je ne voudrais pas empêcher ma mère de rencontrer un homme. Elle dit qu'au contraire, je ferais tout pour l'encourager. Elle m'a donné un seul titre de film à l'appui, *The Perfect Man*, avec Hilary Duff.

Je lui ai répondu que, si on vivait dans un film, je serais constamment bien maquillée, que je ne porterais que des beaux vêtements et que mon père serait VRAIMENT un extraterrestre et qu'il viendrait me chercher. Et là, je n'avais pas d'autres exemples cinématographiques que *E.T.* à lui donner, alors elle m'a dit que si je voulais ressembler à une crotte, c'était MON problème. Ce que j'ai trouvé assez inapproprié !

20 h 30

J'ai rappelé Kat pour lui parler de la pauvreté de notre culture cinématographique. Elle était d'accord avec moi. On va se louer plein de vieux films pour remédier à la situation.

Merde de merde de merde de merde ! (Aucun rapport avec *E.T.*)

J'ai été fourrée dans une situation pas possible que j'aurais vraiment aimé éviter.

J'étais chez Kat et, après le souper, on voulait aller dans sa chambre pour parler de secrets (genre Truch, le nouveau sujet préféré de Kat). Mais là, les parents de Kat, qui prenaient un café à la table et qui discutaient, nous ont un peu, disons, gâché notre moment. Son père a demandé :

— Kat, peux-tu jouer avec ta sœur ?

Et, là, Kat a répondu :

— Ben papa, on voulait être seules.

Et, là, son père a dit (et c'est là que j'ai été coincée dans l'espèce de situation pas possible) :

— Toi, Aurélie, est-ce que ça te dérange de jouer avec Julyanne ?

Gulp. On aurait dit que j'étais dans la Matrice et que

le temps venait de s'arrêter. Kat me regardait de côté. Les parents de Kat me regardaient de face, avec leur café fumant entre les mains. Julyanne a dix ans. Elle est sympa, mais elle est en CM2, et la différence avec nous est flagrante. Si elle était en, mettons, sixième, on pourrait peut-être déjà avoir plus d'affinités avec elle. Mais elle est jeune. Et on ne peut pas vraiment se dire nos secrets devant elle, car elle n'est pas digne de confiance. La dernière fois que Kat lui a révélé un secret, c'était la fois où on avait été à une soirée chez Louis-Martin Lefebvre, en sixième, et qu'on avait joué à action ou vérité. Julyanne était allée tout répéter ! Résultat : Kat n'avait plus eu le droit d'aller dans une soirée pour le reste de l'année, ce que j'avais trouvé un peu excessif de la part de ses parents, mais qui m'avait fait comprendre le caractère flamboyant de mon amie. Bref, les projecteurs invisibles qui sortaient des yeux de toute la famille Demers étaient braqués sur moi. Kat est ma seule vraie amie. Si je faisais un faux pas devant ses parents, vu leur caractère excessif, ils pourraient m'empêcher de voir Kat, pensant que je ne suis pas un bon exemple pour leur famille. Comme ces dernières semaines j'ai eu un aperçu de ce que serait ma vie sans Kat, j'ai répondu ce que tout le monde aurait répondu à ma place :

– Ça ne me dérange pas du tout, j'adooooore

Julyanne ! (J'avoue que j'ai peut-être un peu exagéré le
« j'adore ».)

19 h 34

Depuis une demi-heure, Kat s'engueule avec sa sœur et
je me sens de trop. Pendant ce temps-là, je joue avec
Caprice, leur hamster couleur caramel, rôle de soutien
catégorie « animal de compagnie » dans leur famille.
Kat : Tu n'es pas capable de te trouver des amis, il faut
que tu viennes me parasiter ?
Moi : Ce n'est pas si grave, Kat, on peut…
Julyanne : Tes amis restent avec toi juste parce qu'ils ne
sont pas capables de se trouver d'autres amis ! (Euh…
elle parle de moi, là ?)
Moi : Bon, ben, je vais vous laisser, les filles…
Kat : Tu vois ce que t'as fait ?
Père de Kat (qui ouvre la porte du sous-sol) : Vous
n'êtes pas en train de vous chamailler, par hasard ?
Kat : Non, on s'aime !
Julyanne : On joue !

20 h 30

Quand je suis partie, Kat et Julyanne étaient en train
de s'arracher les cheveux, et le père de Kat (responsable
de cette soirée ratée) m'a dit qu'il trouvait que notre
jeu avait l'air palpitant (il a vraiment dit « palpitant »).

J'ai souri, mais j'aurais voulu lui répondre : « T'as gâché mon vendredi soir avec ma meilleure amie et j'ai été obligée de jouer avec un hamster toute la soirée !!!!!!!!!!!!!!!!!!!!!! »

20 h 45

Ce n'est pas que je n'aime pas les hamsters. C'est juste que le nombre d'activités que je peux faire avec eux est assez limité.

21 heures

J'ai pris un papier et, sur le dos d'un album de BD, j'ai pensé faire une liste des avantages et inconvénients entre avoir un père sur Terre et avoir un père sur une autre planète (ou toute autre explication plausible).

Avantages d'avoir un père habitant sur une autre planète :

• Il ne vous oblige pas à jouer avec des sœurs (si vous en avez une).

• Il ne vous brime pas dans votre liberté de passer une soirée avec une amie.

• Il n'est pas au courant de choses très gênantes (des affaires de filles, surtout).

• Il ne peut jamais vous pourrir la vie.

• Votre mère ne peut jamais dire : « Si tu continues, je vais être obligée d'en parler à ton père. »

Avantages d'avoir un père habitant sur la même planète :
• Avoir un père.
•
•

21h12

Je me rends jusque dans la chambre de ma mère, j'en-trouvre la porte et je la vois sur son lit en train de regarder un film préhistorique à la télé, *Grease 2*. Ses cheveux sont attachés et elle a ses lunettes. Il y a plein de magazines autour d'elle et elle se lime les ongles (franchement dégueu de faire ça dans son lit). Quand elle m'aperçoit, elle dit :
— Qu'est-ce qu'il y a, ma belle ?
Moi : Rien.
Ma mère : Veux-tu encore dormir ici ?
Moi : Non.
Elle a ouvert ses bras et m'a fait signe de venir en repliant et en dépliant ses doigts, et je suis allée la rejoindre sur son lit. Elle m'a confié que, plus jeune, *Grease 2* était son film préféré. Au début, je l'ai trouvé ringard, mais le film était finalement pas pire que ça.

Nuit d'horreur ! Insomnie due à ma nouvelle peur des fantômes. J'ai réussi à m'endormir vers 3 heures du matin (selon moi, mais ce ne serait vérifiable que si j'étais filmée, disons, comme dans une téléréalité, et ce n'est pas le cas). Et Kat m'a réveillée super tôt. Elle m'a appelée pour me faire part de son plan d'aller toute seule à la salle de jeux vidéo pour revoir Truch. Qu'elle y aille toute seule, pourvu qu'elle me laisse dormir !

8 h 54

Kat m'a rappelée pour me dire que son plan d'aller à la salle toute seule n'était pas un bon plan, finalement. Il faut qu'elle y aille toute seule (pour que Truch ait le temps de la repérer), et qu'ensuite j'arrive (pour qu'elle n'ait pas l'air d'une loseuse, vu que la dernière fois qu'elle l'a vu, elle était toute seule) et lui demande si elle veut faire du shopping (pour qu'elle ait l'air d'une fille qu'on s'arrache), et qu'elle me réponde non (pour ne pas avoir l'air d'une fille superficielle). Et moi, là-dedans ? Selon elle, ce n'est pas si important parce que c'est surtout à elle de se faire valoir, et que si j'ai éventuellement besoin d'elle pour la même chose, elle le fera sans rechigner. (Le fait qu'elle dise qu'elle le fera « sans rechigner » est visiblement une forme de manipulation de ma personne, je m'en suis rendu compte malgré mon manque de sommeil.)

On a passé une heure au téléphone pour élaborer le plan. Kat est vraiment excitée, je ne l'ai jamais vue comme ça, même pas quand on est allées au concert de Simple Plan ! (Bon, au concert de Simple Plan, on criait comme des folles, alors, disons, les cris en moins.)

9 h 30

Peut-être que je vais voir Faux-Ryan ?

9 h 31

Si c'est le cas, il faut que je retrouve ma dignité.

9 h 45

Si je vois une fille qui a le toupet crêpé, il faut que je dise : « Hé, regarde la fille avec le toupet crêpé ! » Et il va trouver que je dis cette phrase de façon très améliorée.

10 heures

Il ne faut pas que je parle de toupet crêpé, c'est vraiment con ! Je vais avoir l'air d'avoir pensé à ça, alors qu'il faudrait que j'aie l'air désinvolte, comme si c'était une nouvelle expression super moderne de dire : « Ouh là là, cette fille a le croupette toupé ! »

10 h 13

Il est absolument impossible que quelqu'un ayant un tant soit peu de jugeote croie que « croupette toupé » est une nouvelle expression moderne. Il faut absolument que je trouve une façon de parler à Faux-Ryan pour qu'il voie que je suis normale. Et cool.

10 h 15

Je me regarde dans le miroir et j'essaie de voir à quoi je ressemble quand je dis « salut », « hello », « yo » et « bonjour ». Je trouve que mon visage est plus joli quand je dis « bonjour », mais personne, sauf, genre, quelqu'un qui voudrait avoir l'air snob, ne dit « bonjour ». Et si je dis « yo », j'ai l'air à l'ouest. Et cette expression ne convient pas à mon visage. J'ai la bouche qui forme un genre de « o » ridicule, je n'assume pas vraiment l'expression et je n'arrive pas à avoir l'attitude qui va avec « yo ». Il y a aussi toutes sortes d'intonations pour dire

« salut ». Hier, j'ai bien aimé la façon qu'avait Michelle Pfeiffer de dire « salut » dans *Grease 2*, c'était sexy. Elle (enfin, sa voix de doublage) le dit de façon grave et ça fait sexy. J'essaie ça : « Salut », « Salut, Johnny ». Le « Johnny » ne fonctionne vraiment pas ! Surtout que je ne connais pas de Johnny. À part Johnny Depp. Si un jour je le croise, c'est sûr que je lui dirai : « Salut, Johnny ! », façon doublage de Michelle Pfeiffer. Je ne veux pas demander conseil à Kat là-dessus, car elle penserait que je flashe sur Faux-Ryan et ce n'est pas vrai, c'est juste que j'aimerais seulement ne plus perdre la face devant lui. Non pas que ça me dérange tant que ça qu'il pense que je suis la plus conne de la Terre, mais j'ai ma dignité à conserver et ce serait pareil avec tout le monde, même avec quelqu'un de super laid. Non pas que Faux-Ryan soit super beau, mais il est quand même le moins pire de tous les garçons que je connais. Ben, je ne le connais pas vraiment en fait, je ne sais même pas son nom, mais si un jour je le rencontre pour de vrai, il sera le moins pire des garçons que je connais, pour ce qui est de la beauté physique.

11 h 30

« Hello » est le meilleur choix. Surtout si j'ajoute un air de surprise appuyé par une élévation des sourcils.

En fait, je commence par froncer les sourcils du genre :
« Hum, il me semble que je l'ai déjà vu quelque part,
lui. » Ensuite, je les soulève pour la surprise et je dis finalement un « hello » pas trop surpris et juste assez détaché.

13 h 45

C'est l'heure de mon rendez-vous à la salle de jeux avec
Kat. Je dois entrer, la chercher comme si elle était la
huitième merveille du monde et que j'avais absolument
besoin d'elle pour vivre, lui demander de venir faire du
shopping avec moi pour qu'elle me donne des conseils
mode-beauté (pour faire penser qu'elle s'y connaît vraiment en la matière, Kat souhaite même que Truch dise
quelque chose comme : « Toutes tes amies doivent t'en
demander », ce qui voudrait dire, genre : « T'es belle. »).
J'entre dans la salle et je me sens totalement envahie
par mon rôle. Je feins l'essoufflement, comme si j'avais
cherché Kat dans toute la ville. Je l'aperçois, elle parle
avec un garçon.
Moi : Aaaaah ! Kat (souffle, souffle) ! Je t'ai cherchée
partouuuuuut (souffle, souffle) ! Il faut vraiment que tu
viennes avec moi faire du shopping !
Kat : D'accord.

14 heures

Le garçon avec qui Kat parlait n'était pas Truch.

105

Truch était en train de jouer à Star Wars et il ne s'occupait pas vraiment de Kat. Il faut donc changer de plan.

14 h 15

Le jeu de Truch se trouve contre un mur, alors on ne peut pas aller vraiment près du jeu, car ça ferait groupie. J'ai dit à Kat qu'elle devrait aller lui dire « salut » et elle m'a répondu que ça avait l'air arrangé, de dire « salut », ce qui m'a vraiment confirmé que j'avais fait le bon choix avec « hello », si jamais je croise Faux-Ryan.

15 heures

On n'a pas eu le temps de trouver un plan. Truch est venu directement voir Kat et elle parle avec lui depuis ce temps-là. Elle me fait des signes qui veulent dire que je devrais peut-être revenir au plan A, c'est-à-dire l'inviter à faire du shopping pour montrer qu'elle est une fille populaire et indépendante. Je me dis que si je mets le plan à exécution, je serai débarrassée et que je pourrai enfin m'en aller. Si j'ai attendu un peu, malgré les regards pas du tout subtils de Kat (qui ont dû faire penser à Truch qu'elle avait des tics nerveux), c'est que j'ai pensé que si Faux-Ryan arrivait, je pourrais mettre mon propre plan à exécution. Mais ça fait déjà un bout de temps que je suis ici et il n'est toujours pas là, alors probablement qu'il ne viendra pas. Donc, je m'approche de Kat et de Truch.

Moi : Hé, Kat, c'est nul ici, est-ce qu'on va faire du shopping ?

Kat (avec une voix bizarre) : Bof, faire du shopping, c'est vraiiiiiment superficiel !

Truch : Mais non, vas-y ! On se reverra demain si jamais tu reviens ici. Ciao.

15h2

Kat était absolument hors d'elle ! Elle croyait que j'avais tout fait rater ! Elle m'a dit que j'avais l'air de trop m'emmerder et que Truch – étant un garçon vraiment extraordinaire – n'avait pas voulu nous séparer. Pendant qu'elle m'accusait à tort et à travers de lui avoir fait rater son plan, j'ai vu Faux-Ryan. Quand il est entré, même s'il était à contre-jour, je savais que c'était lui. Il avait sa planche de skate sous le bras et ses cheveux sortaient de sa casquette. C'était comme si j'allais m'effondrer. J'avais l'impression qu'il entrait au ralenti (ce qui est vraiment bizarre, car techniquement impossible). Il s'est approché un peu, mais il ne m'a pas vraiment vue. J'ai voulu lui dire « hello », mais de la salive est arrivée subitement dans ma gorge et quand j'ai tenté de dire « hello » c'est « e-o » qui est sorti, avec la voix de Marge Simpson, suivi d'une toux d'étouffement.

Kat : Ça va, Au' ?

Moi : Tousse, tousse, tousse (pendant dix minutes, yeux exorbités et face mauve en prime).

Faux-Ryan m'a regardée et il m'a souri, puis il m'a fait un signe de la main. En fait, c'est Kat qui dit ça. Moi, je n'ai pas osé le regarder. D'ailleurs, quand je l'ai vu entrer sans vraiment apercevoir les détails de son visage à cause du contre-jour, c'était la dernière fois que je le voyais. Il y a des limites à toutes les folies qu'on peut faire devant quelqu'un et, moi, j'ai décidé que m'étouffer de façon tout à fait disgracieuse était la dernière que je commettais devant Faux-Ryan ! J'ai dit à Kat qu'elle ne pourrait plus compter sur moi pour ses plans visant à se faire un petit copain parce que je ne remettrais plus jamais les pieds dans cette salle, ni dans aucune autre, ni sur une piste de skate, ni dans n'importe quel endroit, à part ma chambre et l'école, juste parce que j'y suis obligée. D'ailleurs, si je le pouvais, je m'expédierais directement à Tombouctou !

Note à moi-même : vérifier sur Google Earth où est Tombouctou (et si c'est la bonne orthographe).

19 h 30

Kat me téléphone depuis une demi-heure et s'étouffe (question de m'imiter). Ensuite, elle éclate de rire et je raccroche. La dernière fois qu'elle l'a fait, je lui ai dit que si elle n'arrêtait pas, j'allais dire à Truch qu'elle flashait sur lui. Elle m'a répondu : « Comment tu vas faire si tu ne sors pas de ta chambre ? »

Ha. Ha. Très drôle.

20 heures

Récapitulation de ma vie : je suis née. Quatorze ans plus tard, j'ai perdu le don de la parole. C'est à peu près ça.

Ou (explication plus ou moins plausible, mais plus près de ma réalité) : je suis en train de reprendre ma véritable forme extraterrestre.

Si je suis une extraterrestre, ma planète vient de pousser sur mon menton. J'ai en effet un bouton grosseur Saturne (les anneaux en moins, heureusement : ouach !) !

Je vais voir ma mère pour lui demander si elle a un produit quelconque que je pourrais appliquer pour camoufler mon bouton. Elle me dit : « Ne mets rien là-dessus, ça va empirer. »

Ma mère ne connaît franchement rien à la vie d'une fille de quatorze ans ! Ce qui va empirer, c'est que si je me pointe à l'école avec mon bouton, tout le monde va le regarder, et Kat, bien qu'elle soit ma meilleure amie, va me dire : « T'aurais dû mettre quelque chose dessus pour le cacher. » Ce qui est logique. Tu as un bouton, tu mets quelque chose pour le cacher, c'est simple. J'ai donc fait une crise à ma mère (peut-être un peu trop exagérée), et elle m'a finalement donné du fond de teint. Malheureusement, après dix minutes, le fond de teint a séché, et j'avais le gros bouton rouge et juste un petit point de fond de teint séché par-dessus. Très laid.

8 h 25

Aussitôt que j'ai vu Kat, elle a dit : « T'aurais dû mettre quelque chose dessus pour le cacher. » Tssss !

10 h 25

Cours de maths.

J'ai beaucoup de difficulté à suivre ce que dit Jocelyne, la prof de maths. Kat n'arrête pas de m'envoyer des petits mots où elle me parle de Truch. À un moment donné, Jocelyne nous voit et intercepte le message. Je me dis que ce n'est pas si grave, vu que Kat ne fait que parler de Truch. Jocelyne lit le message devant toute la classe :

– Alors, Kat a écrit : *« Aurélie, je suis folle de Truch* (jusque-là, ça va), *il faut absolument que tu m'aides à le revoir ! Viens avec moi à la salle de jeux* (là aussi, c'est acceptable). *T'sais, tu pourrais en profiter pour revoir ton sosie de Ryan Sheckler* (c'est là que ça se corse), *tu as beau me dire n'importe quoi, je sais que tu flashes sur lui ! Et ce n'est pas si grave pour ton bouton, ça ne se voit presque pas. C'est quand même moins pire que de s'étouffer en disant "hello" ou que d'avoir une amie qui fait passer un tampon pour une flûte. »*

Sentant un certain malaise, je réplique :
– Hi ! hi ! C'est un langage codé. (Carrément « hihi-c'est-un-langage-codé ».)

J'ai l'impression que mon visage a fondu et que la peau est tombée goutte par goutte sur mon bureau (je sais, c'est dégueu, genre Hannibal Lecter).

16 heures

Kat et moi sommes allées dans le bureau de Denis Beaulieu. Il n'a rien dit pendant deux minutes et nous a regardées d'un air découragé. Il nous a fait comprendre qu'on n'avait pas le droit de s'envoyer des messages pendant le cours de maths. Si jamais on recommence, Jocelyne nous enlèvera automatiquement cinq points à notre prochain examen. Personnellement, je trouve que cette punition est très peu mathématique et dépourvue de logique. Si Kat et moi nous envoyons silencieuse-ment des messages et que, malgré tout, nous réussis-sons notre examen, ça veut dire que notre cerveau est multi-tâches, ce qui fait de nous des filles assez douées, et ce génie en puissance devrait être exploité par les adultes qui nous entourent. Un examen est censé reflé-ter notre performance intellectuelle et non notre capa-cité à ne pas s'écrire de mots en classe. En passant, la communication, c'est important dans notre société et très peu exploité dans les cours offerts par le ministère de l'Éducation. Bon, ceci est très personnel et éditorial, et quand j'ai tenté d'en parler à Denis Beaulieu, il m'a regardée comme si j'étais transparente (j'imagine que si on regarde quelqu'un qui est transparent, on est un peu surpris et c'est l'air qu'il avait) et il n'a pas jugé bon de commenter ce que je venais de dire.

16 h 10

Denis Beaulieu : Aurélie Laflamme, je trouve que tu viens un peu trop souvent dans mon bureau.

Moi (qui n'apprécie guère qu'on dise mon nom au complet, ça fait vraiment trop sévère) : Ce n'est pas vraiment ma faute (et ce n'est pas ce dont j'ai envie, pas plus que tu fasses chantonner ma mère).

Kat : C'est vraiment ma faute cette fois-ci, j'ai envoyé ce message (là, j'ai regardé Kat pour qu'elle lise « codé » sur mes lèvres) euh… codé à Aurélie. (Vive mes dons de télépathie, maintenant confirmés !)

Denis : Bon, les filles, je comprends ce que c'est qu'être jeune. Ce que vous avez écrit ne m'intéresse pas (ouf). La seule chose que j'aimerais, c'est que vous vous concentriez un peu plus sur vos études. Vous êtes deux filles intelligentes et il me semble que, depuis l'an passé, vous avez pris un mauvais pli. Est-ce qu'il y a quelque chose qui ne va pas ces temps-ci ? Est-ce qu'il y a quelque chose dont vous aimeriez me parler ? Quelque chose qui, selon vous, pourrait améliorer l'école, vous redonner le goût d'étudier ?

Kat et moi nous sommes regardées sans rien dire. Nous ne savions vraiment pas où il voulait en venir.

Kat : Ben… peut-être que s'il y avait des garçons…

J'ai regardé Kat et je n'en revenais pas qu'elle dise ça ! S'il y avait des garçons à l'école, je ne me serais jamais présentée avec un immense bouton sur le menton, à peu près symétrique avec mon nez et visible de profil. Franchement, quelle suggestion nulle !

Denis : On ne vient pas à l'école pour draguer, on vient pour étudier.

Moi : Ah ! Ben là je suis d'accord avec vous, monsieur Beaulieu ! Ça, c'est le genre de commentaire qui va faire de vous un grand directeur. Ça s'applique aux élèves et aussi aux membres du personnel de l'école et aux parents d'élèves.

Denis Beaulieu m'a lancé un regard interloqué.

Évidemment, ce que j'aurais vraiment aimé dire, c'est : « Il n'y a rien que je changerais à mon école, que je trouve parfaite. » J'aurais aimé que mon bouton soit pourvu de la fonction « silencieux ».

Ma mère est rentrée du travail un peu plus tard que d'habitude. Elle avait une présentation à faire à son bureau. Elle a apporté les cartons dont elle s'était servie et m'a décrit toute sa présentation. Je n'ai absolument rien compris. Ça parlait de marketing, et les graphiques sur ses cartons auraient pu être dessinés par des élèves de maternelle.

Ma mère est vraiment belle. Elle a des cheveux blonds frisés et elle s'en attache toujours une partie sur la tête et, quand elle revient de son travail, elle est en tailleur. Ce soir, elle porte un pantalon beige et un chandail de laine blanc à col roulé. Tout est petit chez elle : elle a un petit nez, des petits yeux, une petite bouche, sauf ses jambes. Elle a de grandes jambes. C'est d'ailleurs notre seul lien, disons, familial. Plus jeune, j'ai même cru qu'elle m'avait adoptée parce que je lui ressemble zéro. J'ai les cheveux raides et châtains, et il faudrait me payer cher pour que je m'habille en tailleur ! Il est également possible, mais ça m'étonnerait beaucoup, que ma mère ait les cheveux teints et permanentés.

Pendant qu'elle me raconte sa présentation (qui m'intéresse à moitié après une journée où je n'ai fait qu'entendre parler prof après prof), je la regarde et je l'imagine sortant avec Denis Beaulieu. Franchement, je suis capable de comprendre ce que Denis Beaulieu trouve à ma mère, parce que c'est la plus belle mère de la planète ! Mais je suis incapable de comprendre ce qu'elle peut trouver à Denis Beaulieu. Il sent la lotion d'après-rasage ! C'est dégueu ! L'après-rasage est un produit qui a sans doute été mis sur le marché avant d'être au point. Parce que, franchement, je ne vois pas du tout pourquoi les hommes s'en mettent. Ça pue ! Ça sent tellement fort que ça doit être davantage pour camoufler leur mauvaise haleine matinale que pour se mettre du parfum sur les joues. Étant donné qu'il n'y a pas de dentifrice assez fort pour les hommes, ils ont inventé l'après-rasage, comme ça ils s'en mettent sur les joues et ça sent tellement qu'on en oublie toutes leurs autres odeurs corporelles. Mon père, lui, n'en utilisait pas. Et il sentait toujours bon.

Mais bon, rien ne me prouve qu'il y ait quelque chose entre ma mère et Denis Beaulieu, et ça ne me sert à rien de divaguer, mais si jamais elle sort avec lui, je vais l'avertir que je ne m'approcherai jamais de lui à moins d'un mètre, ce qui est à peu près la distance qu'il y a entre nous quand je suis dans son bureau pour cause de gaffe scolaire.

19h35

Ma mère (qui range ses cartons) : Alors, comment tu trouves ça ?

Moi : Ça pue !

Ma mère : Ah oui ? Tant que ça ?

Moi : Ah, tu parles de tes cartons, désolée, je pensais à de l'après-rasage. Tu es dynamique, mais pas très douée en dessin.

Ma mère : Mon boss a adoré, en tout cas !

Moi : Cool.

Ma mère (en jetant un coup d'œil vers la cuisine) : Aurélie, j'aimerais que tu fasses ta vaisselle quand tu as fini de manger. Ce n'est pas difficile, tu n'as qu'à rincer ton assiette et à la mettre dans le lave-vaisselle.

Moi : C'est quoi, le rapport avec ta présentation ?

Ma mère : Veux-tu que je te fasse des cartons pour te promouvoir les vertus d'une vaisselle propre ?

Moi : Non, ça va aller.

Ma mère : Alors ramasse ta vaisselle.

Ma mère a vraiment le don de devenir rapidement hors sujet. Ça pourrait même être rebutant pour un éventuel petit ami, ce qui ferait tout à fait mon affaire ! Pendant que je fais la vaisselle et qu'elle ramasse ses cartons, j'amène la conversation sur Denis Beaulieu.

Moi : J'ai encore été en pseudo-retenue aujourd'hui.

Ma mère : Comment ça, pseudo ?

Moi : Ben, Jocelyne m'a encore envoyée au bureau de Denis Beaulieu. (J'ai vraiment insisté sur son nom en la regardant pour voir si elle aurait une réaction spéciale et je n'ai rien perçu, ou alors je suis mauvaise en lecture de pensées, ce qui enlèverait de la crédibilité à mes dons de télépathie.)

Ma mère : Qu'est-ce que tu as fait ?

Moi : Kat m'a envoyé un mot en classe.

Ma mère : Ah, et ça parlait de quoi ?

Moi : Bof, rien de spécial, c'étaient des bêtises.

Ma mère : Hum, hum.

Moi : Je te le jure, c'étaient des bêtises !

Ma mère : Je te crois.

Moi : Et là, monsieur Beaulieu ne nous a pas vraiment donné de retenue, mais il nous a demandé des conseils pour améliorer l'école.

Ma mère : Oh ! il est vraiment chou !

Plus tard, au téléphone avec Kat

Moi : Et là, ma mère a dit : « Il est vraiment chou ! »

Kat : Pour de vrai ? Elle est vraiment accro !

Moi : Comment on pourrait faire pour avoir plus de détails sur la vie de Denis Beaulieu ? Imagine qu'il soit marié ! Ma mère serait amoureuse d'un type qui trompe sa femme !

Kat : Imagine qu'il soit un agent double allemand !

Moi : Rapport ? ! ?

Kat : Je dis ça comme ça ! De toute manière, je m'en fous, des amours de ta mère. Moi, je m'ennuie de Truch.

Moi : Tu ne le connais même pas !

Kat : J'ai accumulé assez d'informations sur lui pour savoir que c'est le plus chou du monde !

Moi : C'est toi qui parles comme ma mère ou ma mère qui parle comme toi ?

Kat : C'est le langage de l'amouuuuuuuur !

Moi : Oh ! t'es nouille !

Kat : Tu vas comprendre quand tu vas être capable d'aligner deux phrases avec Ryan.

Moi : Faux-Ryan ! Et il n'a rien à voir avec ce qu'on disait.

Kat : Si, parce que tu flashes sur lui.

Moi : C'est ce que tu penses et que toute la classe de maths croit maintenant par ta faute, mais c'est faux.

Kat : Je te connais, Aurélie Laflamme !

Moi : Arrête de dire mon nom au complet, ça m'énerve !

Kat : C'est la première fois que je le dis !

Moi : Alors ne le refais plus !

Kat : Ouais, t'es en pétard quand tu parles de Faux-Ryan !

Moi : Je m'en fous, de lui. Mais si ma mère sort avec monsieur après-rasage, là, ma vie va être un enfer.

Kat : Monsieur après-rasage ?

Moi : Tu ne trouves pas que Denis Beaulieu sent l'après-rasage ?

Kat : Je n'ai pas remarqué.

Moi : Tu n'as pas le sens de l'observation olfactive.

Kat : Moi, je trouve qu'il est cool, M. Beaulieu. Il me semble que, avec ta mère, ils feraient un beau couple.

Nooooooooooooooooooooooooooooon ! Si je n'ai même pas ma meilleure amie de mon bord, qui le sera ?

Mardi 11 octobre

Mon bouton a pris une ampleur phénoménale ! Je ne serais même pas surprise d'y découvrir une mini-société. Je me demande comment Justine Simard fait pour ne jamais avoir de bouton.

Je décide de percer mon bouton. Pendant que je suis dans la salle de bains et que je fais ça bien tranquillement, ma mère entre et crie :

– Qu'est-ce que tu fais làààààààààààà ? (En exagérant bien le « là ».)

Moi : Je perce mon bouton, tu vois bien ! (Je commence à croire Kat : tous les adultes sont myopes.)

Ma mère : Il ne faut pas que tu y touches, sinon tu vas en avoir plein d'autres !

C'est quoi, le problème ? Si j'ai un bouton, c'est sur MON corps, et si JE décide de le percer, c'est MON affaire. J'ai attendu qu'elle sorte de la salle de bains et je l'ai percé.

11h1

Je commence à comprendre ma mère quand elle dit qu'il vaut mieux ne pas percer ses boutons. Même après quelques heures, il y a encore du liquide qui sort du trou où était le bouton. (Beuuuuuuuuuurk !)

Midi

Kat me trouve absolument dégueulasse et ne veut pas manger avec moi, à moins que je ne me mette un foulard autour du visage, ce qui rend l'absorption de sandwiches quasi impossible.

21 heures

Je me couche en me disant que ce qui est cool avec la journée d'aujourd'hui, c'est qu'il ne pourrait pas y avoir pire.

Mercredi 12 octobre

J'avais tout faux ! Il pouvait y avoir pire qu'hier. Il y a aujourd'hui !

Tout va mal à l'école ! J'ai l'impression qu'on m'a transplanté les neurones d'un écureuil ! Non pas que je ne pense qu'à grimper aux arbres ou à emmagasiner des noisettes en prévision de l'hiver, mais j'ai l'impression que je ne comprends rien à ce que me disent les profs. Et en parlant d'eux… on dirait qu'ils se sont passé le mot pour tous nous donner de gros devoirs en même temps ! Je me sens débordée !

Hypothèse : peut-être que les écureuils sont complices avec les extraterrestres et que j'ai été cobaye pour une expérience ultra-secrète intitulée « SHANE », ce qui signifie « Survie d'un Humain Avec des Neurones d'Écureuil ».

Mais ce n'est pas tout. Alors que feu mon bouton est devenu une grosse croûte rouge-mauve (pouah), j'ai vu, ta-ta-ta-tam : Faux-Ryan.

Je reviens de l'école avec Kat. On marche bien tranquillement dans le parc lorsque je l'aperçois un peu plus loin, sur le même trottoir que nous. Je dis à Kat, en pointant bien mon bouton (croûte) grosseur Saturne X 1 000, qu'il faut absolument qu'on ait l'air en grande conversation et que, lorsqu'il passera, on fasse semblant de ne pas l'avoir remarqué.

Kat commence à me parler du film *Le Seigneur des anneaux* et analyse les décors. (En fait, elle a moins remarqué les décors qu'Orlando Bloom.)

Faux-Ryan passe près de nous et ralentit. Et cette fois, ce n'est pas parce que je sens qu'il est au ralenti, il ralentit pour de vrai.

Faux-Ryan : Salut !

Moi (j'avale ma salive, tout en mettant une main devant mon bouton) : Salot, lut, lo. Hello. (Pourquoi ? Pourquoi ? Pourquoiiiiiiiiiiiiiiiiii ?)

Kat : Hello ! Ce qu'Aurélie veut dire, c'est…

Faux-Ryan : Salut.

Kat : Tu l'as déjà dit.

Faux-Ryan (avec un sourire) : Je le dis pour Aurélie.

Tout ce qui s'est passé après cette phrase a été flou. J'ai regardé derrière Faux-Ryan, j'ai vu une pluie de feuilles mortes et j'ai trouvé ce spectacle majestueux. Après avoir observé ce phénomène naturel (qui ne m'avait jamais marquée avant), il n'est pas impossible que je me sois évanouie, et que je sois en ce moment dans le coma (je dois vraiment flasher sur les feuilles mortes !). Je reprends conscience pendant que Kat me parle :

– … que tu n'es pas capable d'aligner trois mots, même trois lettres quand tu es proche de lui. T'es vraiment en train de passer pour la fille la plus gourde du pays !

Moi : Kat… comment ça s'est terminé ?

Kat : Hein ? Quoi ?

Moi : Je veux dire, comment il est parti ?

Kat : Il a dit « Bye ! », et il est parti.

Moi : Oui, mais avant « bye » ?

Kat : Il a dit « Je le dis pour Aurélie », t'as fait un

sourire idiot, j'ai dit : « Comment tu sais qu'elle s'appelle Aurélie ? » Il a dit « Tu viens de le dire » et, ensuite, il a dit « Bye ! » et il est parti.

Moi : Oh, merde. Pendant tout ce temps-là, moi, je…

Kat : Tu souriais bêtement.

Moi : Oh ! merde !

Kat : Je le savais que tu flashais tellement sur lui ! Je le savais ! Je le savais ! Je le savais !

Moi : Tu ne savais rien du tout !

Kat : Je le savais !

Moi : Rapport ? ! ?

Kat : Tu flashes sur lui ! Tu flashes sur lui-eu !

Moi : Je ne flashe pas sur lui ! Les garçons m'énervent. Et j'ai été distraite par la pluie de feuilles mortes. C'était super beau, c'est tout !

Kat : Tu dis n'importe quoi ! Tu deviens complètement gourde devant lui !

Moi : Ouais, c'est bizarre. Je ne sais pas si c'est le hasard ou…

Kat : Oh ! J'ai peut-être une théorie ! Ce matin, j'ai lu dans le journal que Saturne était dans ton signe et que ça causait du tourment dans ta vie.

Moi : Saturne n'est pas dans mon signe mais sur mon visage !

16 h 8

Nous sommes allées chez Kat et, pendant que nous mangions des craquelins au fromage, avant de nous plonger dans nos devoirs, je pensais seulement à deux choses : 1) Comme c'est bon des craquelins au fromage, et 2) « Je le dis pour Aurélie », « Je le dis pour Aurélie »… « Je le dis pour Aurélie » ! « Je le dis pour Aurélie » ? « Je le dis pour Aurélie »…

21 h 10

Je me demande ce qu'il voulait dire par « Je le dis pour Aurélie ». Est-ce parce que, chaque fois qu'il m'a vue, il m'a trouvée nunuche et qu'il pense qu'il faut me préciser les choses (je n'ai pas des neurones d'écureuil pour de vrai, quand même !), ou parce qu'il trouve que j'ai l'air bête et que c'était une façon d'être, disons, sarcastique, ou parce qu'il voulait absolument me dire « salut » afin que je comprenne qu'il n'y avait pas d'animosité entre nous, même si on s'est fichues de lui avec l'affaire du tampon, ou encore parce que…

21 h 13

Voyons, on se calme. Je m'auto-épuise !

21 h 15

Surtout que j'ai réellement autre chose à penser !

21 h 16

Peut-être que les craquelins au fromage, c'est pas une bonne idée quand on a un bouton… (À moins qu'on ne les mette directement dessus ? À vérifier.)

21 h 17

Faux-Ryan dit « salut », lui. Hum…

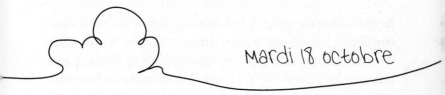

Mardi 18 octobre

Ma mère est folle. F-O-L-L-E ! Ou elle est en plein syndrome prémenstruel, car elle est vraiment insupportable ! Elle est revenue de son travail avec un million de sacs de magasins qu'elle a déposés par terre, ensuite elle a soupiré et elle a pointé du doigt chaque chose (sauf ses sacs) qui traînait dans la maison en me demandant : « C'est à qui, ça ? » Elle n'a pas remarqué que nous ne sommes que deux dans la maison ?

Mon sac d'école : « C'est à qui, ça ? » (J'étais avec elle quand on l'a acheté.)

Mon chandail de laine : « C'est à qui, ça ? » (C'est sa propre mère qui me l'a tricoté.)

Les manettes du Nintendo : « C'est à qui, ça ? » (Elle n'y touche jamais !)

La vaisselle : « C'est à qui, ça ? » (Ah ben, ça ! J'ai contribué à la salir, mais la vaisselle lui appartient parce qu'elle est vraiment laide !)

Après avoir terminé de pointer presque tout ce qui était dans la maison (sauf les meubles, sûrement parce que le compte de sa carte de crédit l'empêche de devenir amnésique en lui rappelant qu'ils sont à elle), elle a dit que je n'étais pas une fille responsable et patati et patata.

Ça m'a changé les idées et presque fait oublier mes questions au sujet de Faux-Ryan, qui, en passant, s'appellerait Nicolas. Bizarre, car je m'étais un peu habituée à l'appeler Faux-Ryan.

C'est grâce à Kat que je l'ai su. Samedi dernier, pendant que je me tapais une visite assommante chez mes grands-parents Charbonneau, elle est allée chez l'épicier du coin se chercher son dernier milk-shake. Il commence à faire un peu froid et elle aime tellement le milk-shake qu'elle s'ennuie l'hiver (il lui arrive même d'en acheter quand il fait moins mille dehors !). Et là, elle a vu une bande et l'un des garçons a dit : « Hé ! Nic ! », et Faux-Ryan est arrivé. Kat a donc présumé qu'il s'appelait Nicolas, et que Nic était son surnom. Super espionne !

Ensuite, elle m'a répété qu'elle trouvait qu'il ne ressemblait en rien à Ryan Sheckler et que leur seul point commun était de faire du skate. Kat a même ajouté que, d'ailleurs, Ryan était champion de skate, tandis qu'on n'avait jamais vraiment vu Nicolas « Faux-Ryan » nous impressionner avec ses talents. Je lui ai répondu que c'était parce qu'on ne l'avait pas souvent vu, point. Et que, chaque fois qu'on le voyait, c'était moi qui volais la vedette avec mes gaffes.

Mais bref. Après être allée chercher un milk-shake, Kat est allée traîner chez un marchand de journaux et elle a vu Truch qui lisait un magazine de cinéma. Il paraît que, quand il l'a aperçue, il a arrêté de lire (c'est ce qu'elle dit, mais ça pourrait aussi être parce qu'il avait terminé l'article). Alors, Kat (qui semble vraiment plus habile que moi avec les garçons) est allée le voir et lui a proposé une gorgée de son milk-shake. Il paraît qu'il a pris une gorgée sans jamais la quitter des yeux (avec la même paille, normal, car c'est rare que quelqu'un traîne des pailles dans ses poches) et il a dit : « Cool, le milk-shake, merci. » Et il lui a demandé son numéro de téléphone.

D'ailleurs, Kat m'a dit que, lorsque je verrai Faux-Ryan, il faudra absolument que j'utilise le truc du milk-shake. Selon elle, j'aurai l'air cool, donc je reprendrai d'un seul coup ma dignité.

Je n'en reviens pas qu'une seule visite chez mes grands-parents m'ait fait manquer tout ça ! Pendant que Kat partageait son milk-shake, moi, j'écoutais mon grand-père me raconter pour la cent cinquantième fois le jour où il a vu un ours, la fois où la dame de la caisse lui a volé cinq euros et les prouesses de feu sa chienne Miquette qui, dans mon souvenir, ne faisait que japper et mordre. En plus, ma grand-mère m'a donné plein de trucs de grand-mère au sujet de mon bouton. Ce qui m'a énervée, car je croyais qu'il ne se voyait presque plus. Qu'est-ce que j'aurais aimé être avec Kat et boire un milk-shake, moi aussi !

Trucs antiboutons de ma grand-mère Charbonneau :
• Mettre des compresses de jus de citron plusieurs fois par jour. (Note : peut causer un aveuglement. En fait,

c'est le seul truc que j'ai essayé, mais, en pressant le citron sur un morceau de coton je me suis aspergé l'œil, ce qui m'a rendue momentanément aveugle et j'ai eu bien de la difficulté à voir où exactement placer la compresse.)

• Dès qu'il apparaît, appliquer une fine tranche de tomate pendant quinze minutes et rincer à l'eau. (Ne fonctionne qu'avec les vraies tomates et non avec du ketchup. Ma grand-mère a même semblé découragée que je lui pose la question, même si c'était une blague. Zéro sens de l'humour !)

• Mettre du dentifrice pendant quinze minutes. (Il paraît que ça fait sécher le bouton, mais il ne faut surtout pas le laisser là. De quoi on aurait l'air avec de la pâte dentifrice sur le visage ? Pouah !)

• Mettre de l'urine dessus. (Beurk X 1 000 ! Comment elle a découvert ça ? Imaginer ma grand-mère en train de faire des acrobaties pour faire pipi sur ses boutons est une image mentale absolument in-to-lé-ra-ble.)

Note à moi-même : tenter absolument d'oublier qu'elle m'a dit ça un jour.

19 h 38

J'ai ramassé toutes les choses que ma mère m'a dit de ramasser, ou plutôt à propos desquelles elle m'a

131

obligée à dire : « C'est à moi », et je suis partie dans ma chambre.

19 h 50

Ma mère est venue me dire qu'elle aimerait réellement que je m'implique plus dans la maison, qu'elle n'est pas capable de s'occuper de tout toute seule, blablabla et autres affaires de mère qu'elle a pu trouver au passage. (Répéter les mêmes choses, je crois qu'elle tient ça de son père.)

Personnellement, toutes les tâches du style « éternel recommencement » m'ennuient profondément. Je ne comprends pas comment la vaisselle peut s'accumuler aussi vite. Une journée tout est propre et, le lendemain, pouf ! il y a de nouveau plein de vaisselle. Une chance que ma mère et moi ne soyons que deux ! J'ose à peine imaginer une famille de quatre comme celle de Kat (surtout que, si sa mère commence à vouloir mettre un nom sur chaque chose qui traîne comme l'a fait la mienne, l'exercice risque d'être un peu plus complexe).

20 h 1

Je viens d'essayer de téléphoner à Kat, mais elle m'a dit qu'elle était sur l'autre ligne avec Truch.

20 h 30

Je suis contente que ma mère soit insupportable.
Insupportable = célibataire.
Mère célibataire + moi = moins de vaisselle à faire.

Jeudi 20 octobre

Je suis fâchée contre ce qui se passe à la télé ! Ce n'est pas représentatif de la vraie vie. Je ne me souviens pas d'avoir déjà entendu un personnage dire à un autre personnage de faire son ménage. À part dans *Cendrillon* et ça date du Moyen Âge, cette histoire ! Dans les scénarios contemporains, on parle d'autres choses que de ménage parce qu'on a d'autres sujets de conversation. En plus, les personnages ne sont pas constamment chez le directeur pour des bêtises (aujourd'hui, j'ai eu une retenue juste parce que ma chemise était sortie de ma jupe : vraiment n'importe quoi !). Alors je suis fâchée parce que la télé me fait sentir que ma vie est complètement marginale !

Le téléphone sonne, c'est Kat.

Kat : Au', devine quoi ?

Moi : Tu ne trouves pas que la télé présente des choses complètement surréalistes ? Comme dans *Gossip Girl*, par exemple, tout le monde est riche et…

Kat : Je m'en fous, de *Gossip Girl* !

Moi : Ne critique pas *Gossip Girl* !

Kat : C'est toi qui viens de parler contre *Gossip Girl* !

Moi : Ah oui, c'est vrai… C'est juste parce que la vie des personnages a l'air parfaite et qu'ils ne se font jamais engueuler parce qu'ils ne font pas le ménage.

Kat : Normal, c'est une émission de t-é-l-é. Tu veux continuer à parler de *Gossip Girl* ou tu veux que je te dise ma nouvelle ?

Moi : Penses-tu que Blair et Chuck, c'est pour la vie ?

Kat : Je m'en fous ! On est invitées à une super soirée d'Halloween !

Moi : Hein ? Quand ?

Kat : Pas samedi de cette semaine, mais l'autre. Ça te tente ?

Moi : Chez qui ?

Kat : Chez Philippe, un ami de Truch. Je viens de lui parler au téléphone et je lui ai demandé de t'inviter. Tu sais qui sera là ?

Moi : Qui ?

Kat : David Desrosiers !

Moi : Meh ?

Kat : Ben non, je déconne ! Nicolas Dubuc !

Moi : C'est qui, lui ?

Kat : Faux-Ryan !

Moi : Ah.

Kat : Fais pas semblant, je le sais que tu flashes sur lui.

Moi : Pff ! vraiment pas ! Et arrête de dire ça, ça m'énerve !

Il me reste exactement neuf jours pour me trouver un déguisement. Je demanderais bien à ma mère de me conseiller, mais j'ai peur qu'elle me réponde Cendrillon ou tout autre personnage ayant un rapport avec le ménage.

Suivi bouton :

Disparu. Youpiiii ! Ma mère m'a dit de ne pas me réjouir trop vite, que ce n'était certainement pas le dernier. (TRÈS encourageante ! Elle perd des points de mère.) Elle a aussi ajouté que je tenais sûrement ça de mon père, qui avait plein d'acné quand il était ado. (Il n'avait pas eu les trucs de ma grand-mère, lui !) De toute façon, ce n'était peut-être pas des boutons, mais une façon de camoufler la carte pour se rendre à sa planète ! (Hi ! hi !)

Samedi 22 octobre

Kat pense que si je me déguise en Hermione, ce ne sera pas assez sexy. Elle croit qu'il faudrait que je me mette un peu plus en valeur. Elle, elle a décidé de se déguiser en Catwoman.

Dimanche 23 octobre

La guerre est officiellement déclarée avec ma mère ! Cet après-midi, elle est sortie et on s'est dit « bye » total froidement ! Après son départ, j'ai remarqué que c'était le bordel. Habituellement, je ne le remarque pas tant que ça, mais étant donné son *obsession* pour la propreté, ça me rend un peu plus, disons, observatrice. Alors, j'ai pris des Post-it et j'en ai placé partout dans la maison, question d'aider sa mémoire à court terme visiblement défectueuse et de répondre à ses questions, à savoir « qu'est-ce qui est à qui ».

Post-it du divan : « À France, mais Aurélie l'utilise parfois. »

Post-it de la tache sur le divan : « Faite par Aurélie, onze ans, alors qu'elle avait mangé des pâtes ici. »

Post-it du pot de vitamine C : « À Aurélie et à France pour prévenir grippe. »

Post-it d'un Kleenex par terre : « Indéterminé. »

J'ai vu un mouton de poussière par terre et j'ai décidé de faire une recherche sur Google au sujet de la poussière pour faire un Post-it informatif. J'ai trouvé ceci : « La poussière peut être formée de différents éléments souvent issus de la dégradation de matériaux : des fibres textiles, des bouts de plantes, du pollen de fleur, des particules de terre, des poils d'animaux, des cellules mortes de peau humaine, divers polluants émis par les voitures et les usines et même de la poussière de météorite. » Whouaaaa ! de la poussière de météorite ! Trop cool !!!!!!!

Post-it sur le mouton de poussière par terre : « Peut

contenir des bouts de plantes, du pollen de fleur, des cellules mortes de peau humaine, des polluants et même… de la poussière de météorite !!! »

Post-it sur une assiette avec un reste de yaourt : « À France parce qu'Aurélie DÉTESTE le yaourt. »

Post-it sur un cheveu blond frisé par terre : « À France parce qu'Aurélie a les cheveux raides, châtains et en général sur sa tête. »

Post-it sur mon livre de maths : « À Aurélie, source de stress intense. »

Ça devrait la calmer pendant un bout de temps !

15 h 36

Il m'a fallu trois heures pour faire tout ça, y compris ma recherche sur la poussière, que j'ai trouvée vraiment passionnante ! De la poussière de météorite dans ma maison : trop cool !!!

15 h 45

Oups. Je crois que je suis allée un peu trop loin avec mes Post-it. Je me sens un peu mal. Je le regrette. J'ai peur de l'embrouille incroyable que ça va engendrer. Peut-être que ma mère ne voudra plus jamais que je sorte de la maison.

15h47

Si elle m'empêche encore de regarder *Les Frères Scott*, je vais devenir folle ! Il faut tout de suite que j'aille enlever ça.

15h48

Au moment où j'allais enlever les papiers, j'ai entendu la clé tourner dans la serrure et je suis allée me cacher dans ma chambre. Mon cœur battait incroyablement fort. J'ai d'ailleurs pris mon pouls pour vérifier que je ne faisais pas une crise cardiaque. Le problème, c'est que je ne me souviens plus comment on prend son pouls, et mon exercice a été interrompu par un long cri de ma mère, suivi de mon nom. Je suis sortie de ma chambre, mal à l'aise, et je l'ai vue se tordre de rire. Elle riait aux larmes en lisant attentivement chacun de mes Post-it. Étonnée, je me suis approchée d'elle, alors elle m'a serrée dans ses bras en disant : « Je t'aime tellement ! » Puis son fou rire s'est transformé en pleurs et elle a ajouté : « Je m'excuse, ma belle, je ne suis pas en forme ces temps-ci… Je pense que je suis fatiguée. »

Ça y est, je crois qu'elle vient de péter les plombs !

Note à moi-même : faire breveter mon idée des Post-it et la vendre aux dirigeants de tous les pays comme moyen pacifique et très peu coûteux d'arrêter la guerre.

Lundi 24 octobre

J'ai trouvé le déguisement i-dé-al ! Je vais me déguiser en pom-pom girl, comme Peyton et Brooke le sont pour les Ravens, dans *Les Frères Scott*. Il faut seulement que je me trouve une jupette bleue et des pompons. Kat a trouvé que c'était une idée géniale ! Elle a même pensé qu'on aurait pu se déguiser toutes les deux comme ça. Mais, finalement, on en est venues à la conclusion (après exactement trente-cinq secondes de réflexion) qu'il valait mieux qu'on ait chacune notre personnalité. Ma mère pense qu'on peut me faire des pompons avec des sacs-poubelles blancs, comme on l'avait fait pour mon cours de ballet jazz lorsque j'avais dix ans. Je lui ai répondu : « Justement, j'avais dix ans ! » Ma mère a compris et elle m'a dit qu'on irait faire des courses ensemble samedi. Elle croit que c'est très facile à trouver, un déguisement de *pom-pom girl*. Elle a même ajouté qu'une de ses collègues s'était déguisée comme ça l'an dernier pour Halloween. Je lui ai conseillé de ne pas poursuivre l'anecdote parce que ça ne me tentait pas de me pourrir l'existence à croire que j'avais un déguisement de bonne femme. Ma mère a ri. Je trouve qu'elle a quand même un bon sens de l'humour ces temps-ci (sûrement dû à son bonheur amoureux avec Denis Beaulieu, grrr).

vendredi 28 octobre

Semaine complètement folle à l'école, je n'ai pas du tout eu le temps de penser à mon costume d'Halloween. Mais ce que je sais, c'est que la plupart des gens ont de très bonnes idées. Justine et Marilou, qui ne vont pas à la même soirée que nous (heureusement), se déguisent respectivement en Madonna (Kat était d'ailleurs jalouse de ne pas y avoir pensé) et en Gwen Stefani (elles ont un concept « chanteuses »). Quant à moi, j'ai hâte d'aller acheter demain mon super costume de pompom girl !

« *Go Ravens !* »

P-S : Ma mère me kiffe carrément depuis l'affaire des Post-it et ne m'a même pas fait une seule remarque sur le ménage DE TOUTE LA SEMAINE !

Samedi 29 octobre

Jour de la soirée d'Halloween

Cet après-midi, je suis allée faire les courses avec ma mère. Mais personne ne m'avait dit que le jour d'Halloween : il-est-impossible-de-trouver-un-costume.

Et ma mère, qui a plus d'expérience que moi, ne semblait pas être au courant non plus.

Nous avons fait au moins cinq magasins de costumes ; il ne restait qu'un masque de monstre vert (vraiment PAS sexy), un costume de princesse avec crinoline et grand chapeau en cône (jeune) et un de Zorro (trop masculin).

16 heures

J'appelle Kat.

Moi : Est-ce qu'à la soirée on est obligées d'être déguisées ?

Kat : Oui.

Moi : Ah.

Kat : Pourquoi ?

Moi : Pour rien.

16 h 15

En désespoir de cause, j'ai choisi Zorro parce que le chapeau me va bien.

18 h 30

2 945 976 : nombre de fous rires de Kat depuis qu'elle m'a vue habillée en Zorro. Elle croit vraiment que je devrais me faire une petite moustache en maquillage pour compléter mon costume de vengeur masqué (ou

plutôt de travesti). Je lui ai dit d'oublier ça. Mais ma mère, qui trouvait l'idée bonne, m'a couru après avec son *eye-liner*. Elle n'arrivait pas à m'attraper, tellement elle riait. Kat, elle, se roulait littéralement par terre. Elle a été obligée d'enlever son masque de Catwoman pour ne pas s'étouffer.

19 h 30

La soirée commençait à 19 heures, mais Kat et moi avons décidé de ne pas arriver trop tôt pour ne pas avoir l'air désespérées (comment pourrais-je ne pas avoir l'air désespérée déguisée en héros travesti ??? !!!). Puis nous sommes allées chez Philippe Genest-Patry, l'ami de Truch. Quand nous sommes arrivées, tout le monde était déjà là. Philippe (ou sa mère ?) avait décoré tout le sous-sol. Il s'était donné à fond ! Il y avait des toiles d'araignées, des plats de jujubes un peu partout, des graines de citrouille salées, des carrés aux Rice Krispies en forme de personnages (avec des Smarties orange et noirs pour faire les faces), deux citrouilles, et plein de décorations, style sorcières, fantômes, etc. J'ai aperçu Nicolas déguisé en skateur zombie (vraiment pas original). Truch, déguisé en chevalier médiéval, s'est jeté sur Kat et, pendant qu'elle partait avec lui, elle m'a dit : « Va t'acheter un milk-shake ! » Maintenant que j'y pense, je crois qu'elle parlait métaphoriquement ou que c'était tout simplement un clin d'œil à son bonheur personnel. Mais, moi, je l'ai prise au premier degré et, alors que Nicolas s'avançait vers moi, je suis sortie de chez Philippe pour me rendre chez l'épicier le plus proche en pensant que c'était un bon moment pour retrouver ma dignité grâce au truc du milk-shake.

19 h 45

Le garçon de l'épicerie flashait sur mon déguisement et, sur fond de musique d'épicerie, il m'a dit : « Il est beau, ton déguisement. » Quinze ans plus tard, on se mariait. Ha ! ha ! ha ! Blague ! Comme si ça se pouvait ! J'ai pris un milk-shake au chocolat (mon préféré !).

20 heures

Quand je suis revenue chez Philippe, toutes les lumières étaient éteintes. Je ne croyais pas être partie aussi longtemps. J'ai ouvert timidement la porte, et quand j'ai entendu la chanson *You Will Be Loved* de Maroon 5, je suis descendue au sous-sol. Le temps que mes yeux s'habituent à l'obscurité, j'ai vu Kat et Truch qui s'embrassaient et Nicolas qui dansait collé à une fille (canon) déguisée en Hermione-qui-s'en-va-au-bal, dans *Harry Potter et la Coupe de feu*. Hermione, c'était MON idée ! (J'avoue que je n'aurais pas pensé à choisir la scène du bal. Mais bon, elle est peut-être juste déguisée en fille qui s'en va au bal, ce qui n'est pas vraiment original comme déguisement. À moins qu'elle n'aille à un *vrai* bal après la soirée.)

J'ai appris par la suite que c'est une fille de leur école, qui s'appelle Marithé Roberge (un nom qui, selon moi, sonne comme du vomi, surtout si on le répète plusieurs fois de suite).

Quand Nicolas m'a vue, malgré mon masque de Zorro, et malgré le slow qu'il dansait, il s'est approché de moi. Mal à l'aise, j'ai pris une grande lampée de milk-shake et, lorsqu'il est arrivé à côté de moi, j'ai ressenti une paralysie au niveau du front qui m'a fait un mal atroce.

Il a attrapé mon bras et il a dit :

– Aurélie ?

Moi (tentant de camoufler la douleur de mon cerveau paralysé) : Foui ?

Nicolas : C'est Katryne qui m'a dit que tu t'étais déguisée en Zorro.

Moi : Kat ? Ah… F'est pfafqu'il n'y afait pfas df'aufre dféguivement.

Nicolas : Quoi ?

Moi : F'est pfafqu'il n'y afait pfas df'aufre dféguivement !

Nicolas : Quoi ?

Moi : F'EST PFAFQU'IL N'Y AFAIT PFAS DF'AUFRE DFÉGUIVEMENT !

146

Nicolas : Ah.

Moi : Écoute, fa danfer, awmufe-twa, lwa tfoune est pfefque finie, moi fu vfaiment tfannée de fettfe fifuafion. Jv'men vais df'ifi !

20 h 45

Je rentre chez moi. En entrant, je vois ma mère assise au salon qui lit le magazine *Stars et Célébrités*.

Ma mère (en baissant le magazine et en me regardant par-dessus ses lunettes) : Tu rentres tôt.

Moi : J'ai eu un… problème.

Ma mère : Tu as bu ?

Moi : Juste un milk-shake.

Ma mère : Un milk-shake ? Tu ne trouves pas qu'il fait un peu froid pour ça ?

Moi : Oui, surtout dans mon cerveau.

Je vais à la cuisine, prends le sac de biscuits aux brisures de chocolat et m'assois sur le divan, vraiment découragée.

Ma mère : Savais-tu que Daniel Radcliffe a appris qu'il allait jouer Harry Potter alors qu'il était dans le bain ? J'ai lu ça dans *Stars et Célébrités*. C'est mignon.

Moi (la bouche pleine de biscuits) : Le milk-shake m'a gelé le cerveau, ça ne m'a pas rendue Alzheimer ! Il date de quelle année, ton *Stars et Célébrités* ?

Ma mère (en regardant le magazine) : Euh…

147

Moi : Je sais aussi que son tome préféré est *Harry Potter et le prisonnier d'Azkaban*, qu'il n'aime pas se regarder dans le premier film parce qu'il se trouve nul et qu'il joue de la guitare.

Ma mère : Wow ! Si tu mettais autant d'énergie dans tes études, tu aurais des notes fabuleuses !

Moi (pensant : Mui mui mui mui mui mui mui, mais répondant réellement) : Si l'école posait des questions sur Daniel Radcliffe, j'aurais vraiment du bol !

20 h 50

Je vais ranger le sac de biscuits et, en me dirigeant vers ma chambre, je décide de revenir vers elle.

Moi : M'man… quand tu sortais avec papa, est-ce que c'était… compliqué ?

Ma mère : Hummm… non.

Je m'assois et dépose mon chapeau de Zorro à côté de moi.

Moi : Raconte-moi votre histoire d'amour.

Ma mère : Tu connais cette histoire par cœur !

Moi : J'aime ça, l'entendre…

Ma mère : Bon (Elle dépose le magazine sur ses genoux). Ton père étudiait en administration, à l'université, tandis que moi j'étudiais en marketing. Nous n'avions pas les mêmes horaires. Puis, à un moment donné, par hasard, on s'est croisés.

Ma mère a toujours les yeux brillants quand elle parle de ça. Je ne sais pas ce que je préfère entre l'histoire et le visage de ma mère quand elle la raconte.

Moi : Et ensuite ?

Ma mère : Tu le sais !

Moi : Dis-le encore !

Ma mère : Quand il m'a vue, ton père m'a saluée, comme si on s'était toujours connus et… voilà ! On est allés prendre un café, on a parlé pendant au moins quatre heures et on ne s'est plus quittés.

Aucune rougeur n'est apparue dans son cou. J'ai décidé de continuer.

Moi : Quand il t'a « saluée », il t'a dit « hello » ou « salut » ?

Ma mère : Bof ! Je ne m'en souviens plus ! Mais pourquoi tu me demandes tout ça ? Est-ce que tu t'intéresses à un garçon ?

Moi (revoyant mentalement la scène où je parlais à Nicolas avec la tête gelée au milk-shake) : Non ! Pourquoi ? ! ?

22 heures

(Dans mon lit, sur mon côté gauche.)

Si jamais il y a une force supérieure qui dirige les êtres humains sur la planète, elle a décidé de s'acharner sur moi !!!

22 h 30

(Dans mon lit, sur mon côté droit.)
Mais non !

22 h 45

(Dans mon lit, sur le dos.)
Peut-être ! Kat l'a lu dans mon horoscope !

22 h 50

(Dans mon lit, sur mon côté droit.)
Ça se peut !

22 h 55

(Dans mon lit, sur le dos.)
Quoi donc, au fait ?

Lundi 31 octobre

Aujourd'hui, en géo, j'étais vraiment dans la lune et, pendant une explication que je n'écoutais pas parce que, justement, j'étais dans la lune, Laurent Giroux, le prof, a dit : « Aurélie Laflamme, reviens sur terre ! » S'il savait 1) à quel point ça m'a gênée, et 2) que c'est la chose que j'aimerais le plus au monde !

Novembre

*Mon Vieux, Tu M'as Jetée
Sur Une Nouvelle Planète*

Depuis une semaine, je suis sur la planète L.O.V.E. (comme dirait Ashlee Simpson). Kat et Truch ne se lâchent pas ! Depuis quelques jours, Truch va chercher Kat à l'école et ils profitent du fait que ma mère n'est pas là pour venir chez moi s'embrasser. D'ailleurs, les bruits de bisous, c'est totalement dégueu ! Un genre de clapotis horrible dans mes oreilles. Ça me donne des petits frissons désagréables quand je les entends. Beurk !

L'histoire du premier baiser de Kat et de Truch (ajouter un effet sonore de smouch smouch incessant) :

Kat et Truch se sont embrassés pour la première fois à la soirée d'Halloween. Et Kat n'arrête pas de répéter cette histoire, du moins quand Truch n'est pas avec elle.

Pendant qu'ils dansaient sur *You Will Be Loved* (elle ne s'était même pas rendu compte que j'étais partie), Kat s'est dégagée et elle a dit qu'elle trouvait cette chanson très belle, alors Truch a répliqué que c'était elle (Kat) qu'il trouvait belle.

GROS NAZE !!!

Mon expérience de roulage de pelle n'est pas vraiment grande. Je dirais même qu'elle est nulle, puisque, toutes les fois que j'aurais pu embrasser quelqu'un, ça ne s'est pas concrétisé.

Première possibilité :

À onze ans.

William Dorion.

Baiser avorté pour cause de mauvaise haleine (la sienne).

Deuxième possibilité :

À onze ans.

Jean-François Michaud.

C'était vers la fin de l'année scolaire. Nous étions en équipe pour faire un travail d'arts plastiques et nos pupitres se trouvaient côte à côte. Après l'école, il est venu chez moi. On travaillait couchés sur le ventre, sur mon lit. À un moment donné, j'ai senti que quelque chose me chatouillait la main et j'ai sursauté, car je croyais que c'était une araignée. Mais c'était la main de Jean-François. Je me suis toujours demandé ce qui serait arrivé si je n'avais pas sursauté.

Troisième possibilité :

À treize ans (presque quatorze).

Louis-Martin Amyot.

C'était l'été dernier, à une soirée. On jouait à action ou vérité. J'ai finalement choisi de ne pas l'embrasser : il est vraiment laid et con, et je n'avais pas envie que mon premier baiser soit avec LUI ! J'ai donc dû avouer que je n'avais jamais vu *L'Exorciste* parce que ça me fait trop peur. Kat était un peu fâchée que j'aie choisi de dévoiler ce secret qui remettait notre crédibilité en cause en tant que fans de films d'horreur. Après, je lui ai dit qu'il était possible que, dans ma vie, j'aie vu plein d'autres films d'horreur. Ça l'a rassurée.

Quatrième possibilité :

Depuis la sortie de *Harry Potter à l'école des sorciers*.

Daniel Radcliffe.

Ha ! ha ! ha ! Totalement dans mon imagination ! (Sauf si ça compte quand on embrasse les affiches.)

16 h 45

En regardant Kat et Truch, j'en viens à penser que l'amour grille des cellules dans le cerveau. C'est vrai. Kat est passée de fille indépendante, forte et solide, à guimauve-trop-cuite-sur-un-feu-de-camp. Je n'ai certes pas envie que ça m'arrive. Ni de me griller des cellules dans le cerveau. J'aime ça, avoir le cerveau intact. (Je crois que je n'ai jamais autant prononcé le mot « cerveau » de ma vie !)

Jeudi 10 novembre

Ça a fait quarante millions d'années que Kat et moi ne sommes pas allées à la salle de jeux ! Kat dit que c'est parce que je lui ai déclaré solennellement que je ne voulais plus jamais y mettre les pieds ! Je ne m'en souvenais même plus. Alors, quand je lui ai dit que ça ne me dérangeait pas d'y retourner, question de faire une activité différente que d'aller à l'école ou de la voir embrasser son petit copain sur la bouche, elle a répondu qu'« on est beaucoup plus occupées à l'école ces temps-ci » et elle a ajouté qu'« on n'est plus sur le tempo de l'été ». Moi, je dis que c'est parce qu'elle est plus sur le tempo d'avoir un petit copain, c'est tout ! Alors, je passe de looooongues heures devant la télé et je regarde même des émissions qui ne m'intéressent pas. En zappant, je suis tombée sur un reportage concernant une nouvelle chanteuse pop dont j'ai oublié le nom. Le but du reportage était de la suivre toute une journée pour voir à quel point sa vie était palpitante (comparativement à la nôtre, je suppose). Sur fond de musique techno-nerveuse, le reporter décrit sa journée et il y a toujours un petit effet sonore « ding ! » chaque fois qu'il termine une phrase.

6 heures. Chanteuse-hot-comparativement-à-nous se lève. Ding !

7 heures. Elle va à la salle de fitness. Ding !

8 heures. Elle se fait masser. Ding !

9 heures. Elle se fait coiffer. Ding !

10 heures. Entraînement de danse intense. Ding !

Etc., etc., etc. Ding ! Ding ! Ding !

Si l'on faisait un reportage de ce genre sur moi, je me demande de quoi ça aurait l'air…

Journée typique de ma vie (ces temps-ci) :

Sur fond de petite musique techno-nerveuse, avec montage serré et effets sonores à l'appui.

7 heures. Mon réveil sonne. Ding !

7 h 30. Je me lève. Vive le bouton-du-réveil-qui-retarde-la-sonnerie ! Ding !

7 h 15. En réalité, il est 7 h 15, car j'ai pris soin de pro-grammer le réveil quinze minutes en avance (et dire que je ne suis pas censée être bonne en maths !). Ding !

7 h 17. Je prends ma douche et je m'habille. Ding !

7 h 30. Je déjeune : céréales quand il y en a, toast au beurre d'arachide et verre de lait. Quand il commence à faire froid, comme ces temps-ci, il m'arrive de boire du chocolat chaud. Ding !

7 h 45. Je dois quitter la maison pour aller prendre l'autobus pour l'école. Ding !

7 h 47. Je reviens chez moi parce que j'ai oublié de prendre mon sac à dos et/ou mes clés ou encore de me brosser les dents et je quitte de nouveau la maison pour retourner à l'arrêt d'autobus. Ding !

7 h 50. Angoisse sur le thème « Est-ce que l'autobus va vraiment passer ? ». Ding !

7 h 52. L'autobus arrive… toujours en retard. Ding !

8 h 15. J'arrive à l'école. Ding !

8 h 20. Kat me parle de Truch et de tout ce qu'ils se sont dit de formidable au téléphone la veille. Ding !

8 h 35 à 12 h 10. Cours hétéroclites variant entre maths, français, anglais, bio, histoire, géo, arts plas-tiques. Ding !

12 h 10. Je déjeune avec Kat à la cafète (cafétéria, pour ceux qui ont envie de dire le mot au complet). Elle me parle encore de Truch et pense à ce qu'elle pourrait

lui dire au téléphone ce soir (conversation qui me sera confirmée demain matin, vers 8 h 20). Ding !

13 h 15 à 15 h 45. Cours hétéroclites, variant entre maths, français, anglais, bio, histoire, géo, arts. Ding !

15 h 50. Dans mon casier, je prends les livres dont j'aurai besoin pour faire mes devoirs. Ding !

15 h 55. J'entends Kat parler de Truch à d'autres filles de l'école. (Il faut qu'elle se trouve d'autres oreilles car, aussi ramollie qu'elle puisse être par l'amour, elle a au moins la décence de ne pas me répéter ses anecdotes plus de deux fois. Hum… disons plutôt trois fois.). Ding !

16 heures. Pendant qu'on marche ensemble vers l'arrêt d'autobus, Kat me dit qu'on va se téléphoner ce soir. Ding !

16 h 5. L'autobus de Kat arrive. Ding !

16 h 6. Angoisse sur le thème « Je me demande si l'autobus va vraiment passer ». Et, pendant que je me pose cette question angoissante, les autres filles qui attendent et moi nous faisons des sourires qui veulent dire : « On ne se parle pas à l'école, mais on est coincées à attendre l'autobus ensemble, genre… » Et là arrive le sourire, après lequel on détourne le regard, pour être certaines de ne pas être obligées de devenir amies. Je me demande si elles se demandent elles aussi si l'autobus va arriver. Ding !

16 h 7. Mon autobus arrive… toujours en retard. Ding !

16 h 30. J'arrive à la maison. Ding !

16 h 30 à 17 h 30. Je *glance* en zappant. Je m'arrête le plus souvent sur Virgin 17. Ding !

17 h 30. Ma mère arrive et n'en revient pas que tout soit sens dessus dessous. (Je me demande pourquoi elle n'en revient pas, parce que c'est comme ça tous les jours.) Elle me demande pourquoi je n'ai rien fait en rentrant de l'école, je lui réponds que j'ai un emploi du temps hyper chargé. Ding !

17 h 35. Je range pendant qu'elle fait la bouffe. Ding !

18 heures. Ma mère et moi, on dîne. Ding !

18 h 20. Ma mère veut que je fasse la vaisselle. Ding !

18 h 30 à 19 h 30. Je fais mes devoirs. Ding !

18 h 30 à 19 h 30. Différentes angoisses au sujet de l'école : vais-je être capable de réussir mon année ? Est-ce que mon cerveau a suivi l'évolution scolaire ou de l'humanité ? Comment pourrais-je faire pour ne plus être dans la lune à l'école ? Ding !

19 h 35. Kat m'appelle pour me dire qu'elle va appeler Truch (et autres choses, mais le vrai but de son appel est de parler de lui). Ding !

20 heures à 21 h 30. Je regarde la télé (ce soir, c'est *Les Frères Scott*) et/ou je lis des BD. Ding !

21 h 30 Je me couche (mais c'est rare que je m'endorme tout de suite). Ding !

La petite musique techno-nerveuse s'arrête.

Ouf! je trouve ma vie beaucoup plus stressante que celle de la chanteuse pop. Et je suis sûre qu'elle ne survivrait pas une seconde à mon horaire chargé! (Mais ma vie ferait un moins bon topo à la télé.)

Note à moi-même : surveiller de près mon alimentation et faire plus de sport pour éviter un burn-out imminent.

vendredi 11 novembre

C'est officiel. Je n'aime pas Truch. Il est snob. Il n'arrête pas de parler, parler, parler.

Je le déteste encore plus depuis que je sais qu'on ne peut pas avoir une opinion qui diffère de la sienne.

Kat et moi, on était en train de parler de Jocelyne, la

prof de maths, qui nous a donné un énorme devoir pour la fin de la semaine, vu que lundi est une journée pédagogique. Elle a même dit que notre devoir serait noté. On stressait, car on n'est toutes les deux pas très bonnes en maths. Et là, Truch nous a sorti : « *Carpe diem.* »

Kat : Quoi ?

Truch : *Carpe diem*, « Profite du jour qui passe »… Tu n'as jamais regardé *Le Cercle des poètes disparus* ?

Kat : Si, c'est un super bon film !

Moi : Bof ! Moi, j'ai trouvé ça moyen.

Truch : Mais voyons, c'est un classique ! Un des meilleurs films de tous les temps. Si tu vas sur le Net, tu verras qu'il fait partie de la liste des meilleurs films !

Moi : Il a beau faire partie de plein de listes, avoir toutes les qualités cinématographiques qu'il veut, moi, j'ai trouvé ça moyen !

Truch : Moyen bon ou moyen mauvais ?

Moi : Enfin quoi ! Ils se cachent pour lire des poèmes ! Tant qu'à se cacher, ils pourraient faire quelque chose de plus fort que ça ! Et puis, à la fin, le garçon se suicide parce que son père ne veut pas qu'il fasse du théâtre ! Le loser ! Il n'avait qu'à finir ses études, attendre sa majorité, quitter la maison familiale et en faire, s'il aimait ça tant que ça !

Truch : Justement. Il n'a pas « profité du jour ». Il a abandonné.

Moi : Bof, on a droit à nos opinions, moi, j'ai trouvé ça moyen, c'est tout.

J'avoue qu'il m'a laissée bouche bée, mais jamais je ne l'avouerai, même sous la torture.

Kat (après un temps) : Ha ! ha ! ha ! ha ! Bravo, Aurélie ! C'était très drôle. (Elle se tourne vers Truch.) Elle adooooore taquiner les gens ! Méchante comédienne, hein ? On adooooore *Le Cercle des poètes disparus* !

Truch : Ah ! je me disais aussi que c'était impossible que des gens sensés n'aiment pas ce film ! Aurélie, tu m'as vraiment eu ! Je te croyais à fond !

Et c'est depuis ce moment-là que je le déteste officiellement. C'est depuis ce moment-là que je sais aussi officiellement que mon amie a le cerveau ramolli par l'amour.

Note à moi-même : il est important de me souvenir de ceci pour le reste de ma vie : les gens qui disent *« carpe diem »* en pensant au *Cercle des poètes disparus*, ÇA M'ÉNERVE !

Wahou ! Journée mère-fille super cool ! Sans ménage. Sans grands-parents. On est allées au cinéma voir deux films ! Mais c'est également aujourd'hui que j'ai découvert que si l'hérédité me rattrape, je suis dans la merde !

Chose importante à faire : demander à sœur Rose si l'hérédité est un problème qui affecte tout le monde.

15 h 12

Entre les deux films, ma mère et moi sommes allées aux toilettes et, quand elle a voulu se laver les mains, elle a mis ses mains sous le robinet et a attendu que l'eau coule. Voyant que ça ne coulait pas, elle a changé de robinet. Puis elle m'a dit :
– Merde ! Les robinets ne fonctionnent plus !
Moi (tout bas, pour que personne n'entende) : Je crois qu'il faut seulement tourner les poignées.

Alors, j'ai actionné la poignée et l'eau s'est mise à couler. Elle se sentait mal.

Ma mère : Ha ! ha ! ce n'est pas assez moderne !

Elle a dit ça en regardant une bonne femme qui (à mon grand désarroi) a tout entendu.

Et c'est là que je me suis dit à moi-même : « Dire que son sang coule dans mes veines ! »

Pour se défendre, elle m'a raconté que, là où elle travaille, tout est super moderne et qu'elle est habituée à ça. J'ai pensé que c'était une excellente façon de m'informer subtilement de sa relation avec Denis Beaulieu. Si elle sort avec lui, il lui a forcément raconté que les robinets de l'école sont vraiment antiques (si j'étais vraiment bonne en français, je dirais « archaïques », mais je ne suis pas vraiment bonne, alors…).

Moi (trèèèès subtile) : À l'école, ce sont des robinets à poussoir où l'eau arrête de couler toute seule après une seconde. Pour se laver les mains, il faut vraiment être patient !

Ma mère : Peut-être qu'ils ont peur que les jeunes ne ferment pas les robinets.

Moi (ironique) : Oui, c'est vrai, c'est notre genre de laisser les robinets ouverts et puis de nous sauver en courant, tout en nous disant qu'on vient de faire un bon coup ! Tout le monde sait que laisser l'eau couler, c'est complètement nul.

Ce que j'ai dit a été suivi par un rire interminable de ma mère. Soit elle a vraiment un bon sens de l'humour ces temps-ci, soit je suis top drôle ! (Calibre humoriste.)

Conclusion de mon enquête : si elle connaît tout de l'école grâce à Denis Beaulieu, elle cache vraiment bien son jeu.

20 heures

Kat me téléphone, complètement paniquée.

Kat : Caprice a eu des bébés !

Moi : Hein ? Comment c'est arrivé ?

Kat : Je hais ma sœur !

Moi : C'est quoi, le rapport avec ta sœur ?

Kat : Elle a un ami qui a un hamster mâle et, sans le dire à personne, elle a organisé un rendez-vous de hamsters et il a... il a...

Moi : Quoi ? Il a quoi ?

Kat : IL A VIOLÉ CAPRICE !

Moi : L'ami de ta sœur ?

Kat : Ben non, nunuche ! Le hamster !

Moi : J'avais compris, c'était pour rire ! Mais comment tu fais pour être certaine que Caprice n'était pas « consentante » ?

Kat : Parce que l'autre hamster est laid ! Tu sais, le

genre noir avec des taches jaunes ! C'est un monstre !
C'est sûr qu'elle ne voulait rien savoir de lui !

Moi : Il ne faut quand même pas se fier aux apparences ! Peut-être que Caprice était très amoureuse de lui.

Kat : Je ne vois pas comment elle aurait pu être amoureuse de ce hamster... Si tu voyais les bébés ! Ils sont laids ! Et tu sais comment il s'appelle ?

Moi : Les bébés ?

Kat : Non ! Le « petit copain » de Caprice ?

Moi : Non... Je ne connais pas beaucoup de hamsters.

Kat : Bacon !

Moi : Je peux venir les voir ?

Kat : Ça ne te fait rien de savoir que Caprice a eu des bébés d'un Bacon ?

Moi : Ben... je ne trouve pas ça si nul...

Kat : Pfff ! C'est affreux, comme nom ! Ma sœur me ridiculise ! Ahhhhhh !

Moi : Je peux aller voir les bébés ?

Kat : Seulement demain matin parce que, demain après-midi, je vois Truch.

P-S : J'ai trouvé inutile de lui faire remarquer que son petit copain à elle porte volontairement le surnom de Truch...

« Ooooh ! Ils sont trop mignons ! Ils sont vraiment trop mignons ! Ils sont vraiment trop mignons ! » J'ai répété ça sans arrêt tout le matin devant la cage de Caprice. Les bébés sont vraiment mignons (je sais, je l'ai déjà dit). Kat n'a pas du tout raison de dire qu'ils sont laids ! Je crois qu'elle dit ça seulement pour ne pas s'attacher, car ses parents veulent que sa sœur et elle s'en débarrassent (pas de Caprice, mais de ses bébés). D'ailleurs, Julyanne vit un drame à ce sujet. Ça fait déjà une semaine qu'elle cache les bébés. Quand elle a découvert que Caprice avait accouché, elle a mis la cage dans sa chambre pour s'en occuper. Kat, trop absorbée par sa relation avec Truch, ne s'en est pas rendu compte. Mais hier soir, elle a voulu voir Caprice, alors elle est entrée dans la chambre de Julyanne et elle a découvert trois minuscules hamsters chauves à côté de Caprice. Paniquée, elle est allée tout répéter à ses parents. Et ceux-ci, après avoir ri un bon coup, à ce qu'il paraît, ont dit à Julyanne qu'elle ne pourrait pas les garder. Julyanne a tout essayé pour les sauver. Elle a même demandé à sa prof si elle pouvait les amener en classe. Sa prof a refusé à cause des allergies. Qui peut être allergique à un hamster ?

Midi

Ma mère : Il est hors de question qu'on ait un hamster, Aurélie !
Moi : S'il te plaît, s'il te plaît, s'il te plaît, s'il te plaît, s'il te plaît !
Ma mère : Non.
Moi : Oh ! allez ! Si tu les voyais, ils sont tellement mignooooons !
Ma mère : De toute façon, même si je voulais, je ne pourrais pas, je suis allergique !

Oups.

15 heures

J'ai appelé tout le monde que je connais, y compris mes grands-parents. J'ai pensé que mon grand-père Charbonneau serait content de remplacer sa Miquette par un autre animal, mais il dit qu'elle est irremplaçable. J'ai même appelé ma grand-mère Laflamme. Elle se plaint souvent qu'elle se sent seule et qu'elle a peu de visites, mais elle déteste les hamsters (elle appelle ça « des rats », aucun rapport !). Par contre, elle semblait très contente que je l'appelle et on a parlé une demi-heure. Bien sûr, elle m'a demandé si j'avais un « petit copain », ce qui m'a vraiment énervée et j'ai raccroché en lui disant que j'étais lesbienne.

16 heures

Ma mère est venue me demander : « C'est quoi cette histoire de lesbienne ? » Ma grand-mère venait de l'appeler, outrée (c'est son mot) par mon (faux) coming-out. Je me suis défendue en disant que j'étais vraiment fatiguée qu'elle me demande si j'avais un « petit copain » et que j'avais sorti ça comme ça, pour lui en boucher un coin. Elle m'a obligée à rappeler ma grand-mère pour lui dire la vérité. J'ai accepté, mais je l'ai avertie que si un jour je devenais lesbienne, elle devrait m'accepter ! Ma mère m'a dit qu'on verrait à ce moment-là, mais qu'en attendant je devais rappeler ma grand-mère.

Moi (à ma grand-mère) : Blablabla, pas lesbienne, bla-blablabla, une blague, blablabla, fatiguée à cause de l'école, blablabla, les lesbiennes ont le droit de vivre. (C'est là que ma mère m'a arraché le téléphone des mains pour

172

parler elle-même à ma grand-mère et s'excuser de mon
« comportement ».)

16 h 5

Espèce de famille d'homophobes !

19 h 30

Personne ne veut des petits bébés hamsters. Ça me fait
vraiment de la peine.

Lundi 14 novembre

Journée pédagogique

8 heures

Julyanne m'appelle.
Moi (encore endormie) : Oui, allô ?
Julyanne (des larmes dans la voix) : Aurélie… c'est
Julyanne.
Moi : Julyanne ?

173

Julyanne : Voudrais-tu aller t'informer à l'animalerie…
pour les bébés hamsters ?

Moi : Mais pourquoi ?

Julyanne : Personne ne veut y aller… Et, moi, ça me
fait trop de peine.

Moi : Tes parents ?

Julyanne : Ils disent que c'est à moi de le faire. Si on
ne réussit pas à les donner, mon père dit qu'il va les
jeter dans les toilettes ! C'est horrible !

Moi : Je suis certaine qu'il ne ferait jamais ça ! Mais…
Kat ?

Julyanne : Elle est avec Jean-David et elle dit que rien
au monde, surtout pas des bébés hamsters laids, lui fera
manquer sa journée avec lui.

Moi : Ouais, c'est son genre.

Julyanne : Et je n'ai pas de journée pédagogique comme
vous… Kat aurait pu y aller, mais…

Moi : C'est bon, je vais y aller.

Julyanne : Oh ! merci ! Merci, merci, merci !

Moi : Julyanne, juste pour mon information personnelle… pourquoi tu n'appelles pas Jean-David
« Truch » ?

Julyanne : Ha ! ha ! ha ! C'est vraiment trop con ! Ma
sœur sort avec un « Truch » !

Au moins, elle, ça la fait rire.

13 heures

J'arrive à l'animalerie. L'odeur est horrible. Je fais le tour. Je m'arrête dans le coin des aquariums. Ça me fait délirer, de voir des poissons qui ressemblent à Dory et à Marlin dans *Le Monde de Nemo*. Le décor de l'aquarium fait penser au film ! Je passe mon doigt sur la vitre. Ma mère ne veut pas de hamster, mais elle accepterait peut-être que j'aie un Nemo, version *live*.

– On n'a pas le droit de toucher les vitres d'aquarium, dit une voix derrière moi.

Je me retourne et je sens le rouge me monter aux joues lorsque je vois Nicolas « Faux-Ryan ».

Moi : Ah… désolée.

Nicolas : C'est une blague, tu peux toucher la vitre.

Je le regarde un instant. Il a un tablier tout sale. C'est peut-être à cause de lui que ça pue. Mais plus il avance vers moi, plus je sens l'odeur de bon assouplissant que je sens toujours lorsqu'il est près de moi (ce qui n'est pas arrivé si souvent…).

Moi : Tu travailles ici ?

Je suis vraiment nulle d'avoir posé cette question parce que c'est évident que Nicolas ne porte pas de tablier dans la vie de tous les jours et, donc, qu'il travaille ici. Il y a de ces questions, comme ça, qui nous font paraître bêtes. Comme si tu demandais un mouchoir à quelqu'un parce que ton nez coule et qu'il te disait : « C'est pour te moucher ? » C'est évident, me semble-t-il ! Si nous, les êtres humains, n'avions droit qu'à, disons, cinq cents mots par vie, qu'est-ce que nous arrêterions de dire ?

Nicolas : Oui.

Moi : Ah, cool.

Nicolas : L'animalerie appartient à mon oncle… Je lave les cages. Des fois, les animaux.

Moi : Ah, cool.

Bon, j'ai dit : si les êtres humains n'avaient droit qu'à cinq cents mots. Je n'ai pas dit que c'était la réalité. Je pourrais peut-être trouver autre chose à dire.

Moi (nouvelle tentative) : Est-ce que… est-ce qu'il y a des hamsters ?

Nicolas : Tu veux un hamster ?

Moi : En fait, c'est parce que mon amie a eu des bébés hamsters. Enfin, son hamster a eu des bébés parce que c'est sûr qu'elle ne pourrait pas elle-même enfanter des bébés hamsters. Ha ! ha ! ha ! Mais… je me demandais si vous… en achetiez… genre.

Nicolas : Oui. On les donne à manger aux serpents.

Moi : QUOI ? ! ? !!!!!!!!!

Soudain, un perroquet fait : « Quouaaa ? Quouaaaa ? Salut ! Merde ! »

Nicolas : C'est une blague !

Moi : Le perroquet a dit : « Merde. »

Nicolas : Ha ! ha ! ha ! C'est Bono.

Le perroquet : Quouaaa ? Quouaaaa ?

Moi : Bono ?

Perroquet : Salut ! Bono !

Nicolas : Mon oncle tripe sur U2. Et puis son nom de famille est Bonneau.

Moi : Au perroquet ?

Nicolas : Non, à mon oncle. C'est le frère de ma mère.

Perroquet : Salut ! C'est Bono ! Merde !

Moi : T'as entendu ?

Nicolas : C'est mon frère qui lui a appris ça. Ne le dis pas à mon oncle ! Je peux essayer de le convaincre de prendre tes hamsters.

Moi : Le perroquet est capable de se retenir de le dire devant ton oncle ? D'accord pour mes hamsters, c'est super. Je ne voudrais pas qu'ils finissent comme croquettes pour serpents !

Nicolas : Mais non, c'était une blague, je te dis ! En passant, mon oncle sait que le perroquet dit « merde », il ne sait juste pas que c'est mon frère qui le lui a appris. Hé, tu veux voir quelque chose de cool ?

Moi : Oui.

Nicolas m'entraîne dans le coin des chiens et des chats. On s'arrête devant une cage avec une maman chatte et plein de petits chatons autour d'elle.

Nicolas : Je viens juste de terminer de nettoyer la cage.

Moi : Oooooooh ! C'est les plus mignons du monde !!!!!

Nicolas : Tu peux rester ici, je vais aller parler à mon oncle pour les hamsters.

Après quelques minutes, Nicolas revient pour me dire que son oncle est d'accord : il va prendre les hamsters, mais ne les paiera pas, et il promet qu'ils ne serviront pas de « croquettes pour serpents ». Il ajoute qu'il faut que j'attende qu'ils mangent la même bouffe que leur mère pour les apporter.

13 h 55

Je remercie Nicolas et, alors que je me dirige vers la porte, il me dit :

– Aurélie ?

Moi (en me retournant au son du gling-gling de la porte) : Oui ?

Lui : Euh… Ben, tu peux revenir voir les chats si tu veux.

Moi : D'accord.

Je pousse la porte et j'entends Bono crier : « Bon débar-
ras ! Bon débarras ! » Je me retourne vers Nicolas.
Lui : T'en fais pas ! Il dit ça presque chaque fois que
quelqu'un s'en va.
Moi (en me retournant encore pour partir) : Ah…
(Ouf, sinon, méchant malaise d'être rejetée par un per-
roquet.)
Lui (pas le perroquet, Nicolas) : Hé, Aurélie ?
Moi (encore une fausse alerte de gling-gling) : Oui ?
Lui : Tu ne trouves pas que Bono a le croupette toupé ?

Il a vraiment dit « croupette toupé » !!! Et dire que tout
s'était (presque) bien passé pour une fois !

16 heures

J'ai appelé Julyanne pour lui dire qu'aussitôt que
les hamsters arrêteraient de téter, dans environ trois
semaines ou un mois, elle pourrait les emmener à l'animalerie. Elle m'a répondu qu'elle ferait tout ce que je
veux pour le reste de ma vie. Hum… j'en doute. Mais
ça peut être intéressant.

20 heures

Pour qui il se prend, lui, de me renvoyer mon lapsus
à la figure ?

20 h 5

« Mon lapsus à la figure », ça sonne comme si j'avais soudainement une protubérance quelconque sur le nez et non pas comme si je bafouillais toujours en sa présence. Phénomène qui, je dois le dire, est tout à fait paranormal compte tenu du fait que je suis une personne qui n'a pas de difficultés d'élocution, sauf dans des cas extrêmes, genre exposé oral.

Mardi 15 novembre

Pendant le cours de français, Marie-Claude nous a parlé des palindromes, des mots ou des phrases qu'on peut lire dans les deux sens, comme Laval, été, non, ici, kayak, radar, rêver, etc. Elle nous a également demandé de trouver des mots qui pouvaient faire d'autres mots, comme le poteau rose, le pot aux roses. Pour l'instant, j'ai trouvé : le récipient d'air, le récipiendaire. J'adore faire ça !

J'ai raconté mon cours de français à Kat et elle m'a dit que je suis une grosse tête, mais que Truch et elle s'amusent aussi avec les mots, puis elle m'a montré des lettres d'amour que Truch lui envoie. J'ai donc appris que son nom peut se transformer ainsi : Katrynou. Et il y a des variantes : Katrynette, Katrounimini et Katryminou.

Moi : Tu ne trouves pas que les surnoms sont un peu… infantilisants ? (Dans ma tête, j'essayais de voir si le mot pouvait se décomposer en d'autres mots.)
Kat : Mais non !!! Moi aussi, je le fais.
J'ai donc appris (contre mon gré) que Truch a été rebaptisé : Janico-Davidounet Truchinou, Jean-Davidoumichou Truchounet et Japinodavino Truchocalinours.

Où elle va chercher ça, je ne le sais pas ! C'est vraiment les surnoms les plus stu-pi-des que j'ai entendus de ma vie ! Et ça fait perdre un temps fou de les dire.

Je pense que l'amour est surestimé. Même le mot est bête ! Il n'est nullement un palindrome, ni même un mot décomposable.

P-S : C'est vrai que je suis une grosse tête !

P-S n° 2 : Ne le dire à personne pour ne pas passer pour un génie ou quelque chose du genre, question de continuer à avoir une vie sociale.

mercredi 16 novembre

J'ai vu Denis Beaulieu parler à Marie-Claude d'un peu trop près... J'espère qu'il n'est pas en train de tromper ma mère ! J'avoue que leur relation ne m'enchante pas plus que de voir des araignées géantes surgir d'en dessous de mon lit, mais je préfère encore qu'ils sortent ensemble plutôt que de voir Denis tromper ma mère avec la prof de français.

9h43

Kat pense que je suis complètement parano au sujet de ma mère et ne me comprend pas du tout. Je n'ai pas osé lui rappeler qu'elle a paniqué grave quand elle a su que son hamster avait une vie sexuelle ! Alors, imagine si cela avait été sa mère ! Je pense que Kat est très peu capable de se mettre dans la peau des autres. Il faut dire que se mettre dans la peau des autres, c'est littéralement impossible, à moins que ce ne soit dans de la peau d'animal, si on n'est pas antifourrure. Je veux dire : se mettre dans la peau des autres, en ayant une certaine sensibilité humaine, pour ressentir ce que ses amies vivent. Si ça me dérange que ma mère sorte avec mon directeur, ce sont mes affaires ! Et je redoute surtout le jour où elle me dira : « Aurélie, ce soir, Denis-Michou vient dîner à la maison. » Parce qu'il semblerait que quiconque sortant avec une autre personne l'affuble de petits noms ridicules.

Bref, quand j'ai dit à Kat que Denis Beaulieu trompait peut-être ma mère, elle n'a été d'aucune aide.

Kat : Je croyais que tu ne voulais pas qu'ils sortent ensemble !

Moi : Oui, mais je ne veux pas qu'il la trompe non plus.

Kat : Tu n'es même pas sûre à cent pour cent qu'il sorte avec ta mère !

Moi : Ça se pourrait…

Kat : Mais tu n'es pas sûre !

Moi : Oui, mais ça se pourrait !

Kat : MAIS TU N'ES PAS SÛRE ! Pourquoi tu ne le lui demandes pas directement ?

Moi : Quoi ? ! ? Ce serait le meilleur plan pour que je sois en retenue jusqu'à la fin de l'année !

Kat : Non… À ta mère !

Moi : Ces temps-ci, elle fait un peu moins de fixette sur le ménage… On est plus proches. Je ne voudrais pas… tout gâcher.

Kat : Je comprends.

La cloche du cours sonne. Kat et moi prenons place dans la classe de maths.

Kat : Tu sais qui est la nouvelle idole de ma sœur ?

Moi : Euh… Avril Lavigne ?

Kat : Non, toi.

Moi : Moi ? Il me semble qu'Avril Lavigne est quand même plus cool ! Surtout sa chanson *Na na na Skater boy, minimiminimini, he wanna nwot an œuf fow lolalala* !

Kat : Au', il faut vraiment que tu travailles ton anglais.

Pendant mon imitation (ratée, apparemment) d'Avril Lavigne, les autres filles de la classe ont arrêté de parler et Jocelyne a dit :

— Hé, Britney Spears, tu veux faire des maths ou t'inscrire à la Star Academy ?

C'est sûr que si on me donnait le choix et que j'avais vraiment du talent, je choisirais la Star Ac', mais j'ai dit « des maths » à contrecœur, je me suis écrasée sur ma chaise et je me suis retournée vers Kat, qui se retenait tellement de rire qu'elle était toute rouge et que des larmes lui coulaient des yeux.

21 h 30

J'ai vérifié s'il y avait des araignées géantes sous mon lit, juste au cas où...

Kat est un peu triste parce que Truch ne peut ou ne veut pas la voir. On s'est accrochées longtemps au sujet de « peut » ou « veut ». Il n'y a qu'une lettre différente, mais ça change tout.

Explication de Truch : il veut voir ses amis. Il paraît que, depuis les dernières semaines, lui et Kat sont toujours collés l'un à l'autre et qu'il est en manque de liberté. Je pense que les amis de Truch ont beaucoup plus de courage que moi. Le courage de lui avoir dit : « Hé, man, on ne te voit plus ! » Remarque que, dans le cas de Kat, je n'aurais jamais dit : « Hé, man ! » Je n'aurais même pas dit : « Hé, girl » ou : « Hé, n'importe quoi » parce que ce n'est pas mon genre de dire ça. Sauf que, effectivement, si une de nos règles était de ne jamais se laisser séparer par un garçon, Kat ne l'a pas vraiment suivie et, depuis qu'elle sort avec lui, j'ai l'impression que c'est la seule chose qui occupe son esprit. (On dirait même qu'elle ne pense plus une seconde à David Desrosiers.)

On a mangé une tonne de bonbons ! Et on a commencé à sauter sur mon lit en faisant semblant de jouer
de la guitare sur des chansons de Simple Plan. Kat a
même recommencé à fantasmer sur David Desrosiers.
Ma mère est venue voir ce qu'on faisait et, quand elle
nous a vues sauter sur mon lit, elle a dit qu'on allait le
casser. Ah, zut ! Pour une fois qu'on s'amusait !

Quand ma mère est ressortie de la chambre, Kat m'a
dit que je devrais vraiment lui parler de mes inquié-
tudes au sujet de sa relation avec Denis Beaulieu.

Kat s'est assise sur mon lit et m'a regardée longuement.
J'ai pensé qu'elle avait un coup de pompe, mais elle a
commencé à parler sérieusement.

Kat : Sérieux, c'est quoi, ton problème avec ta mère ?

Moi : Tu ne comprends rien !

Kat : Qu'est-ce que je ne comprends pas ?

Moi : Je veux qu'elle soit heureuse, mais…

Kat : Mais quoi ?

Moi : J'ai peur que…

Kat : Que quoi ?

Moi : Dis donc, vas-tu me laisser parler ?

Kat : 'Scuse.

Moi : J'ai peur que ça fasse disparaître… mon père…
genre.

Kat : Hein ?

Moi : Tu sais, quelques mois après sa mort, elle m'a laissé une photo et elle a caché toutes les autres…

Kat : Elle les a cachées ou rangées ?

Moi : C'est pareil !

Kat : Non ! Moi, je pense que quand quelqu'un meurt, il faut passer à autre chose, continuer à vivre.

Moi : Qu'est-ce que t'en sais ? Tu n'as vécu qu'une mort, celle de ton poisson rouge !

Kat : Ooooh ! Plouchy ! Je m'ennuie tellement de lui ! Je me demande encore pourquoi il a sauté en dehors de son bocal. Crétin de poisson rouge suicidaire ! Et Caprice qui est une dépravée sexuelle ! Ha ! ha ! ha ! ha ! ha !

Moi : Ha ! ha ! ha !

Kat : Tu sais, c'est peut-être vrai que je n'ai pas une grande expertise dans le domaine, mais tu crains que ta mère devienne heureuse et que le fait qu'elle se sente bien fasse qu'elle ne soit plus capable de parler de ton père… Ça lui donnerait encore plus de place, tiens.

Moi : Kat !

Kat : Quoi ?

Moi : Comment t'as fait pour penser à ça ?

Kat : Bof… j'ai regardé des tonnes de séries ! Hé ! Tu veux qu'on appelle ton père en faisant du spiritisme et qu'on lui demande s'il est d'accord pour que ta mère ait un amant ?

Moi : Non, c'est bon.

Kat : Peureuse !

Moi : En passant... pourquoi tu l'as appelé Plouchy ?

Kat : Ben... « plouch » dans l'eau !

Moi : Ce n'est pas « plouf », l'onomatopée ? Ou « splash » ?

Kat : Oh, toi et tes mots à deux balles ! Allez, on appelle Plouchy et on lui demande pourquoi il s'est suicidé !

20 heures

On n'a pas appelé Plouchy (ouf) parce qu'on a trouvé un article dans *Miss Magazine* intitulé « Comment le décoder ? ».

On a appris que, quand un garçon se passe la main dans les cheveux, ça veut dire qu'il est timide ; quand il parle avec les mains dans les poches, il veut cacher quelque chose ; quand il se touche le nez avec l'index, ça veut dire que c'est un garçon réfléchi, mais s'il se gratte le nez, il est menteur.

Kat : Mais... s'il se gratte le nez avec l'index ?

Moi : Ça veut peut-être dire que c'est un menteur, mais qu'il a pensé à son mensonge avant de le dire... Donc, c'est un menteur intelligent.

Kat a une illumination. Elle dit que lorsque Truch lui a annoncé qu'il préférait ne pas la voir parce que ses amis lui avaient reproché de ne plus passer beaucoup de temps avec eux, il avait les mains dans les poches et, ensuite, il s'était gratté le nez.

Conclusion de Kat, inspirée par *Miss Magazine* : il est amoureux d'une autre fille. (Sauf qu'en aucun cas, dans le magazine, on ne dit que tel signe veut dire qu'un garçon est amoureux d'une autre fille.)

21h34

Kat est repartie de chez moi déconfite. Je ne sais pas si c'est à cause d'une indigestion, vu le nombre excessif de bonbons qu'on a mangé, ou parce qu'elle croit vraiment que Truch veut rompre. C'est peut-être aussi le souvenir de Plouchy… (Ouais, tu parles !)

Horreur et consternation : ma mère porte des strings !
Je l'ai découvert en faisant le ménage.
Denis Beaulieu ne veut pas que les filles en portent à l'école. (Il y a des filles de cinquième qui, au début de l'année, pour se démarquer, faisaient ressortir les bords de leur string de leur jupe. Personnellement, je trouvais que ça avait l'air de leur couper la circulation sanguine.) Mais il oblige ma mère à en porter !
Franchement, je ne comprends rien à l'amour ! Tout le monde fait une fixation là-dessus. L'autre jour, j'ai entendu Justine Simard dire qu'elle était au régime parce que ça ne marchait plus avec les garçons. Elle a dit vouloir supprimer tout le sucre de son alimentation. Franchement, à choisir entre un petit copain ou des bonbecs, je choisirais les bonbons, c'est sûr !
Je ne vois pas pourquoi on voudrait vivre quelque chose qui nous transforme soudainement en une autre personne tout à fait étrange !

J'aurais préféré ne jamais découvrir que ma mère porte des strings. Je pense que ça peut me causer un traumatisme.

19 heures

J'ai appelé Kat pour qu'elle aille regarder quel genre de petite culotte porte sa mère et, après un espionnage digne des Ninjas, elle m'a rappelée pour me confirmer que sa mère portait des petites culottes grandes comme des montgolfières, zéro sexy. C'est ce que je pensais.

20 heures

J'ai passé ma soirée à faire des recherches sur Internet pour trouver une méthode qui permette de sublimer les événements traumatisants. Il paraît que l'hypnose pourrait m'aider.

21 heures

J'ai essayé de m'auto-hypnotiser, mais c'était tellement ennuyeux que je me suis endormie.

21 h 15

Je me suis dit que je m'étais peut-être endormie parce que je m'étais auto-hypnotisée, alors je suis allée voir ma mère pour lui demander si j'avais fait quelque chose d'étrange dans la dernière heure, genre imiter le cri de la poule, et elle m'a dit et je cite : « Tu n'as rien fait de bizarre dans la dernière heure, mais tu es bizarre en ce moment. » J'ai failli répliquer : « Pas bizarre au point de porter des strings ! », mais je me suis abstenue, je préfère garder l'affaire des strings pour le jour où j'aurai vraiment besoin d'un argument solide.

Dimanche 20 novembre

Il paraît que Truch avait les mains dans les poches en parlant à Kat parce qu'il cachait un cadeau qu'il voulait lui donner. Donc, ça prouve la théorie selon laquelle se gratter le nez est un signe de mensonge, car il lui mentait sur le fait qu'il avait un cadeau pour elle. Hypothèse : il se peut que Kat lui ait parlé de l'article, qu'elle lui ait parlé des comportements qui en disent long sur ce que pense une personne et qu'il se soit senti tellement mal qu'il a inventé qu'il avait un cadeau pour elle, et ça confirme le fait qu'il est un gros menteur puant ! (Le « puant » est totalement gratuit.)

Le cadeau de Truch à Kat : un petit ourson (laid) avec un tee-shirt sur lequel il est écrit : « I cœur you ». Le cœur est dessiné, mais c'est ce que ça veut dire littéralement. Et ça ne veut rien dire, « I cœur you » ! C'est totalement dépourvu de sens syntaxique ! Si Kat et Truch étaient en bon niveau de français, ils sauraient ce que c'est, un vrai sens syntaxique, et que la phrase « mon cœur bat pour toi » est correcte syntaxiquement parlant, mais que « je te cœur » ne veut absolument rien dire !

Constatation : l'amour rend les gens débiles, différents et retardés !

Lundi 21 novembre

J'ai toujours détesté l'école. Et aujourd'hui, c'est absolument confirmé. Je m'en rends vraiment compte parce que, ayant été choisie pour être la première à présenter mon exposé oral, je me tiens, devant toute la classe, une feuille entre les mains et les jambes tremblotantes.

31 août,
neuf ans plus tôt

C'était ma première journée à l'école maternelle. Avant que je commence l'école, c'est ma grand-mère Charbonneau qui me gardait, alors je n'avais pas vraiment les habitudes « sociales » des autres enfants qui avaient été élevés dans une garderie.

Quand je suis arrivée à l'école, j'étais, disons, assez timide. Mes parents m'ont tous les deux accompagnée

195

et je me suis tout de suite dirigée vers des jeux que je n'avais jamais vus de ma vie. Mais la maternelle m'a vite ennuyée.

Ça ne faisait pas deux semaines qu'on était là que l'éducatrice nous a demandé de prendre un catalogue et de découper tout ce qu'on voyait de jaune. J'ai laissé le catalogue pour aller jouer à d'autres jeux, plus intéressants (selon mes goûts personnels).

L'éducatrice est venue me voir et m'a demandé pourquoi je ne découpais pas les éléments jaunes dans le catalogue et je lui ai répondu : « Parce que ça ne sert à rien. » Ce qui me semblait évident, même à cinq ans. J'ai eu une très mauvaise note pour mon comportement. Toute l'année ! En fait, le « comportement » a toujours été ma note la plus faible…

Retour au lundi 21 novembre

Je me tiens dos au tableau, face à la classe, incapable d'empêcher mes jambes de trembler. Je n'entends que le « bzzzzz » émis par les néons de la salle. Les néons, quels éclairages moches ! Oups, reconcentration. Marie-Claude : Aurélie… quand tu veux !

J'aimerais répondre que, justement, je ne veux pas. Je

ne veux pas faire mon exposé oral. Je n'ai aucune amie dans la classe ! Si Kat était là, au moins, je pourrais la regarder.

Je dois faire un exposé sur Saturne. J'ai choisi ce sujet en raison de ma nouvelle fascination pour les confins de l'univers. Et, puisqu'elle était dans mon signe astrologique le mois dernier, ce qui m'a causé, disons, divers soucis (selon Kat et ses croyances), je voulais en savoir plus sur cette planète. (Mais je ne dirai pas ça dans mon exposé, j'aurais l'air de croire aux phénomènes surnaturels.)

Hier soir, ma mère m'a dit d'imaginer tout le monde en petite culotte. J'ai été étonnée qu'elle en parle, mais je ne lui ai pas avoué que j'avais découvert sa nouvelle passion pour les petits dessous sexy. Ah ! merde ! Non seulement je n'arrive pas à imaginer les gens de la classe en petite culotte, mais, maintenant, j'imagine ma mère en string !

Bon, je me lance, 3, 2, 1…

Moi : Hum… je vais vous parler d'une planète. Euh… c'est Saturne… Saturne est la sixième planète du Soleil. On peut s'en souvenir facilement grâce à la phrase : « Mon vieux, tu m'as jetée sur une nouvelle planète. » On prend chaque première lettre et c'est un aide-mémoire pour chaque planète du système solaire. Genre « m » pour Mercure, « v » pour Vénus, « t » pour Terre, l'autre « m » pour Mars, « j » pour Jupiter, « s » pour Saturne, mon sujet, et ainsi de suite… comme vous devez le savoir… vu qu'on l'avait appris en sixième, mais… bon, je ne sais pas pourquoi je répète ça… euh… en tout cas, c'est la deuxième plus grosse planète du système solaire. Ça, il n'y a vraiment pas de truc pour le retenir, ha ! ha !

Dans mes pensées : j'imagine que je suis dans un vaisseau spatial et que j'explose. Paf !

Je continue : Euh… en tout cas… euh… (je regarde ma feuille de notes) Galilée fut le premier à l'observer à travers un télescope en… euh… (je regarde sur ma feuille) 1610. (Je ne sais pas du tout pourquoi j'utilise le passé simple, ni pourquoi je parle avec ce drôle de petit accent.) C'est une planète qui fut, euh… qui a… longtemps été incomprise, à cause des anneaux, ben oui, de ses anneaux. (Je crois que le passé simple arrive dans ma bouche pour les bouts que j'ai trop appris par cœur.) Tout le monde pensait que Saturne était… eh bien… la seule planète à en avoir, mais là il y a eu d'autres recherches, nanana, et puis là, en 1977, un mince anneau fut découvert autour d'Uranus et un peu plus tard de (je regarde ma feuille) Jupiter et (je regarde de nouveau) de Neptune.

Ah, et puis… euh… en conclusion, Saturne était en Cancer en octobre et ça a causé bien des problèmes pour les natifs de ce signe.

Dans mes pensées : j'imagine que je suis Plouchy et que je saute hors de mon bocal. Wouaaah ! Pouf !

16 heures

Je suis dans ma chambre, sous mes couvertures, cachée du reste du monde. Je me demande s'il y a d'autres personnes sur terre qui ont été humiliées publiquement aujourd'hui. Quand je répétais mon exposé oral devant ma mère, tout se passait super bien, mais devant les surdoués en français, ça n'a pas fonctionné du tout. Et c'était quoi, cet accent bizarre que j'ai utilisé ? Rapport ????!!!!????? Je suis comme Saturne, sauf que moi, mes anneaux, ils sont dans mon cerveau !

19 heures

Ma mère m'a demandé comment s'était passé mon exposé oral. Je lui ai répondu que j'avais imaginé tout le monde avec SES petites culottes ! Non, ce n'est pas vrai, j'ai répondu que ça s'était mal passé et que c'était sûr que j'allais couler.

Mardi 22 novembre

Wouh ! C'est la première neige ! Il était temps, car ça faisait drôle de voir des décorations de Noël un peu partout. D'ailleurs, année après année, les décorations de Noël arrivent toujours un peu plus tôt. Comme si les organisateurs de Noël avaient peur qu'on oublie de le fêter ou je ne sais pas trop.

Ou peut-être que le père Noël est devenu tellement obèse, à cause de tous ces biscuits que les gens lui donnent, qu'il est obligé de commencer sa tournée plus tôt vu qu'il a de la difficulté à entrer dans les cheminées.

Bon, ce que je viens de dire est une totale divagation, car je sais très bien que le père Noël n'existe pas. Je le sais depuis que j'ai sept ans. Quand j'avais découvert que c'était mon père qui se déguisait en père Noël, j'avais trouvé mes parents drôlement bizarres de m'avoir fait croire à ça ! Non, mais c'est vrai ! C'est quoi le but de faire croire que c'est un gros bonhomme rouge qui habite l'autre bout du monde qui apporte des cadeaux ? Je n'ai jamais compris. Et, ce jour-là, non seulement j'ai arrêté de croire au père Noël, mais j'ai même perdu un peu de respect pour mes parents. Un peu de confiance aussi. Je me suis mise à me méfier de tout ce qu'ils disaient. Je me suis dit que s'ils étaient capables de mentir sur une chose aussi ridicule que le père Noël, qu'est-ce qu'ils pouvaient me cacher sur des sujets plus importants ?

8 h 55

Grosse discussion autour de notre uniforme scolaire. D'ailleurs, c'est toujours au début de l'hiver que ça se complique. Bon, je dis « toujours », mais ce n'est que la deuxième année que ça arrive, alors mon opinion ne se base que sur l'an dernier quand, au début de l'hiver, la plupart des filles ont commencé à râler contre l'uniforme. Et, habituellement, il y a une autre vague de protestations vers la fin de l'année. À l'automne, c'est normal. Mais, en hiver, se promener avec une jupe, c'est assez froid pour les jambes. Et, en été, une jupe de style kilt écossais, c'est trop chaud. Cette fois-ci, ce sont des filles de terminale qui ont préparé une pétition qu'elles ont remise à Denis Beaulieu, signée par plusieurs filles de l'école, pour demander qu'il n'y ait plus d'uniforme scolaire obligatoire. De quoi elles se mêlent, les filles de terminale ? Elles ne seront plus jamais à l'école à partir de l'an prochain ! Leur argument majeur : l'uniforme les empêche d'exprimer leur personnalité. Quel argument nul ! Bart Simpson est habillé pareil depuis trois cent cinquante épisodes et je ne trouve pas que ça change sa personnalité ! Même chose pour le père Noël !

10 h 50

Cours de français.

Kat était totalement dans sa bulle pendant le cours de maths. Depuis qu'elle sort avec Truch, elle arbore un sourire idiot tous les jours. Je voulais lui envoyer un mot pour lui demander ce que Truch avait fait de si spécial pour la mettre dans cet état aujourd'hui (je me demandais comment il pouvait être plus ringard qu'avec son nounours antisyntaxique), mais Jocelyne est tellement sur notre dos ces temps-ci que je n'ai pas osé le faire. Et, pendant la pause, on a été happées par la horde de filles de première qui voulaient nous faire signer leur pétition anti-uniforme. Mon analogie avec Bart Simpson n'a eu aucun succès. Et j'ai dû vite entrer dans la classe de français.

Marie-Claude : S'il vous plaît, silence tout le monde. Vous parlerez de votre uniforme pendant l'heure du déjeuner. Je suppose que vous êtes curieuses de voir les notes de vos exposés oraux ?

Et blablabla, jusqu'à ce qu'on sache que Justine avait été la meilleure, avec son exposé sur la fabrication du miel (sujet top anodin !). Sauf qu'elle s'était mis un chapeau d'apiculteur et qu'elle avait fait tout un spectacle ! Si ce sont des comédiennes qu'ils recherchent pour les exposés oraux, qu'ils le disent !

Ma moyenne : 15/20 (Ouf ! au moins, je suis passée !)

Sujet : 20/20

Exploitation du sujet : 16/20

Plan : 12/20

Recherche d'information : 14/20

Présentation : 12/20

17 heures

Quelle journée !

Après le cours de français, Marie-Claude m'a dit qu'elle voulait me parler. Avant qu'elle m'attrape, j'avais presque atteint la porte de la classe et j'ai vu Kat. Je lui ai fait signe de m'attendre une minute, mais elle ne m'a pas vue. (Elle devait penser à Truch ou à son nounours antisyntaxique.)

Marie-Claude m'a fait un long discours sur le fait que mes notes étaient vraiment basses comparativement au reste du groupe. Qu'elle attendait plus de moi. Une élève de mon niveau devrait avoir un minimum de 17/20. Ce à quoi je lui ai répondu :

– Vous, madame, vous souvenez-vous de la note d'exposé oral que vous avez eue en troisième ?

– Hum… non, pourquoi ?

– Moi aussi, j'ai l'intention de l'oublier.

Je croyais qu'elle allait m'envoyer voir le directeur (habituellement, c'est le genre de spontanéité qui me coûte cher), mais elle ne l'a pas fait. Elle m'a plutôt demandé si je me sentais à ma place dans la classe, si je n'aimerais pas mieux être dans un autre groupe où je me sentirais à l'aise. Ça a piqué mon orgueil et j'ai dit non.

Après ça, je suis allée aux toilettes et j'ai vu Kat avec Justine et Marilou. Toutes les trois parlaient de la première fois qu'elles ont embrassé leur petit copain. Kat m'a sauté dessus pour savoir si j'avais eu une bonne note à mon exposé et j'ai répondu : « Pas mauvaise. » Et elle a dit : « Je le savais, que tu t'inquiétais pour rien. » Justine a répliqué qu'elle avait eu 19/20, ce que je savais déjà, et m'a demandé comment, moi, j'avais trouvé ça, la première fois que j'avais embrassé un garçon. Je sais qu'elle a dit ça pour m'intégrer à la conversation, ce qui devrait me faire croire que Justine est charmante, mais j'en suis venue à penser qu'elle m'a posé cette question juste pour me faire sentir que j'étais la seule fille des toilettes à ne pas avoir de petit copain et à n'avoir jamais embrassé quelqu'un. J'ai donc réfléchi très vite, j'ai pensé à Daniel Radcliffe et aux fois où j'avais embrassé son visage en deux dimensions sur l'affiche de *Harry Potter et la Coupe de feu*, et j'ai dit : « Le dernier garçon que j'ai embrassé était... assez froid. Pas un très bon embrasseur. »

Quand on est sorties des toilettes, Kat m'a demandé qui était mon ex-petit copain et je lui ai dit que c'était l'affiche de Daniel Radcliffe. J'ai pensé qu'elle allait s'étouffer, tellement elle riait. Je l'ai remerciée de n'avoir rien dit devant les filles. Ça aurait tout gâché si Kat avait lancé : « Hein, t'as jamais eu de petit copain ??????? !!!!! » Elle m'a dit, et je cite : « Je ne ferais jamais ça à ma meilleure amie ! »

Constatation : le fait de parler de roulage de pelle dans les toilettes ne fait pas de quelqu'un une amie, ça fait juste une personne avec qui partager une expérience.

Constatation n° 2 : ça ne me fera pas non plus changer d'avis sur le fait que l'amour ramollit le cerveau et, qu'ayant quelques difficultés scolaires ces temps-ci, j'ai besoin de toutes mes capacités cérébrales intactes.

Constatation n° 3 : quand tu es dans un groupe de bon niveau, les élèves des autres classes te regardent avec un certain mépris. On te qualifie de fayot, de surdoué, de sans amis, tous les mots de ce genre qui ont l'air insultants, mais qui, dans le fond, sont des compliments déguisés en insultes. Parce que si on traduit, ça veut dire « personne à l'intelligence supérieure ». Mais si tu es dans le groupe de bon niveau et que tu es la plus mauvaise de la classe, les « personnes à intelligence supérieure », te regardent comme si tu n'étais pas digne de faire partie de leur groupe. Résultat ? Tu n'as ta place nulle part.

Constatation n° 4 : comme j'ai fait plusieurs apprentissages/constatations dans ma journée, je vais pouvoir appliquer la phrase : « Je vais me coucher moins idiote ce soir », donc augmenter mon QI, donc peut-être pouvoir améliorer mes notes. Yes !

À l'agenda : faire plus de constatations par jour pour augmenter mon QI.

Jeudi 24 novembre

Après l'école, je suis allée voir les bébés hamsters. Ils sont trop mimi ! Julyanne leur a donné des noms. Je lui ai demandé comment elle avait fait pour connaître leur sexe. Elle a dit qu'elle ne les avait pas retournés pour vérifier, mais qu'elle s'était fiée à leur tête. Quand elle a dit ça, Kat a levé les yeux au ciel.

Le plus laid, celui qui ressemble à son père à ce qu'il paraît, s'appelle Bacon junior. Celle qui ressemble à Caprice s'appelle Buffy, et l'autre, qui ressemble un peu à un mélange des deux, s'appelle Bono, nom trouvé par leur père parce qu'il adore U2 et parce que ça faisait trois noms commençant par « b ».

Moi : Hé !!! je connais un Bono !

Kat : Hein ? Qui ?

Moi : C'est un perroquet ! Il dit : « Merde. » C'est le frère de Nicolas qui lui a appris à dire ça, mais c'est son oncle qui lui a donné son nom.

Kat : Le frère de Nicolas ? Nicolas, Nicolas-Faux-Ryan ?

Moi : Euh… oui.

Kat : Tu l'as revu ?

Julyanne : C'est qui, lui ?

Kat et moi : Personne !

Kat : Tu lui as parlé ?

Moi : Oui. C'est lui qui m'a aidée… pour les bébés hamsters.

Julyanne : Ce n'est pas « personne », d'abord !

Kat : Pourquoi tu ne m'en as pas parlé ?

Julyanne : De toute façon, si elle t'en avait parlé, tu ne t'en serais pas souvenue ! Tout ce qui compte, c'est Truch !

J'avoue que Julyanne m'a enlevé les mots de la bouche, même si je n'aurais jamais dit exactement ces mots-là.

Kat : Je m'en serais souvenue, franchement, je ne suis pas amnésique, quand même !

Moi : Je n'ai pas eu le temps…

Julyanne : Parce que tu parles tout le temps de ton super petit copain !

Kat : C'est vrai qu'il est super !

Julyanne et moi nous sommes regardées du coin de l'œil et avec un sourire complice.

Moi : Sérieux, je ne t'en ai pas parlé parce qu'il n'y a rien à raconter.

Kat : La prochaine fois, je veux y aller avec toi.

Julyanne : Tu veux y aller avec elle, même pas à cause des hamsters, c'est juste parce que tu t'intéresses à l'amour.

Kat : Les bébés hamsters sont nés parce que tu t'intéressais à l'amour… entre hamsters ! Moi, au moins, je m'intéresse à l'amour entre HUMAINS !

Le téléphone sonne. Julyanne répond et passe le téléphone à Kat en disant : « C'est luiiiiiiiii », comme si elle imitait sa sœur.

Kat : Allô, Truchouminou !

Julyanne et moi nous regardons en levant les yeux au ciel.

Kat : Non, tu ne me déranges pas, je suis avec ma sœur et Aurélie.

Julyanne et moi nous regardons de nouveau et nous avons la même pensée : nous nous sentons invisibles et inutiles !

Kat : Oh ! moi aussi, je m'ennuie ! D'accord, on se voit plus tard. Bye, mon amour ! Non, toi, raccroche ! Non, toi en premier ! Toi ! Raccroche, là ! Non, je ne veux pas raccrocher ! Non, toi, raccroche ! Toiiiiiiii !

Toi !!!!!!! Raccroche, s'il te plaît ! Moi, je ne suis pas capable ! Non, toi ! Non, toi ! Raccroche !

Julyanne : RACCROCHE !!!!!!!!!!!

Kat : Je te laisse pour de vrai, il faut que je me batte avec ma sœur. Bye ! Moi aussi. Bye pour de vrai, là. Bye !

Moi : On peut dire que vous avez des conversations… profondes.

Julyanne : C'est tout le temps comme ça ! Je n'en peux plus !

Kat : Écoute-moi bien, toi ! Tu n'as qu'à pas nous suivre tout le temps, comme ça t'auras pas besoin de m'entendre. Trouve-toi tes propres amies !

Julyanne m'a regardée et est partie.

Moi : Tu n'as pas été un peu dure avec elle ?

Kat : Oh ! Elle m'énerve des fois !

Moi : Elle est cool, ta sœur !

Kat : On arrête de parler de ça. On parle de Nicolas ! Hé, dis donc, il s'intéresse à toi, c'est clair ! On va avoir chacune un petit copain et pouvoir faire des sorties à quatre ! Wahou !

Moi : Il ne s'intéresse pas à moi et, moi, je ne m'intéresse pas à lui. Ça se trouve juste que je le croise des fois.

Kat : Et que tu deviens complètement bizarre en sa présence.

Moi : Bon, ça, c'étaient juste des coïncidences, parce que, la dernière fois, j'étais normale. Presque.

Ça m'a pris au moins une heure pour la convaincre qu'il y aurait une pluie de fourmis avant que je sorte avec Nicolas ! Et on a commencé à divaguer sur les fourmis. Et ça nous donnait des frissons d'effroi, de penser que plein de fourmis pourraient tomber du ciel. Brrrrrr ! On a remarqué que Julyanne nous espionnait quand on a reçu un tas de graines noires sur nous, qu'on a bondi en criant et qu'on a par la suite découvert que c'étaient des raisins secs et qu'on a entendu un rire. Kat a sauté sur sa sœur, qui s'est sauvée en hurlant : « Papaaaaaaaaaa ! »

Les parents de Kat ont décidé de sortir pour fêter leur anniversaire de vie commune. Ils ont demandé à Kat de garder sa sœur et elle en a profité pour nous inviter, Truch et moi, à passer la soirée chez elle. S'appuyant sur le fait que sa sœur devait la garder, Julyanne a menacé de tout répéter à leurs parents si elle la maltraitait.

Truch a trouvé les bébés hamsters très laids, ce qui n'a pas plaidé sa cause auprès de Julyanne.

Il a commencé à exposer une théorie selon laquelle il y a des gens « chiens » et des gens « chats », mais qu'on ne peut pas être les deux. Je lui ai lancé : « Pourquoi il y a des gens qui ont un chien et un chat, alors ? » Il en est resté bouche bée. Julyanne lui a demandé s'il trouvait que Kat était du type « hamster », vu que tel est son animal de compagnie, ce qui m'a fait rire dans ma barbe (même si je n'ai pas de barbe) et qui a fait rougir Kat, qui a essayé tant bien que mal de changer de sujet. Alors, Truch a continué de parler, parler, parler. C'était théorie après théorie. J'ai commencé à m'assoupir (parce que sa voix est vraiment monocorde, qu'il a un débit lent et que ses pseudo-théories sont ennuyeuses, selon mes goûts) quand il nous a expliqué pourquoi les films japonais étaient meilleurs que tout autre film venant de n'importe quel autre pays, mais j'ai été rapidement réveillée par Julyanne, qui lui a enfoncé un biscuit dans la bouche ! Kat, qui ne l'avait pas vue venir parce qu'elle était trop absorbée par le discours de son petit copain, a dit : « Je vais le dire à maman, que t'as fait ça, il aurait pu s'étouffer ! » Et Julyanne a répondu : « Je vais le dire à maman, que t'as invité ton petit copain pendant que tu me gardais. »

La guerre est maintenant déclarée entre Kat et sa sœur.

P-S : Je n'ai pas tenu à spécifier à Kat que j'aurais aimé avoir la même idée que Julyanne, mais une heure avant.

Lundi 28 novembre

Le mois de novembre me déprime grave. La neige qui était tombée l'autre jour a complètement disparu et il fait seulement gris. Au moins, l'hiver, quand il fait gris, il y a de la neige, alors, même si c'est déprimant, c'est quand même un tout petit peu plus joyeux.

Les profs commencent à être stressés pour les examens de décembre et enchaînent le programme super vite. Comme si on avait traîné depuis le début de l'année et qu'il était temps de travailler.

9 h 45

Toutes les élèves de l'école ont été convoquées à l'auditorium. (Kat et moi étions contentes de manquer notre cours de maths !) Denis Beaulieu a organisé aujourd'hui une séance d'information sur un organisme bénévole d'aide téléphonique pour les jeunes. Les gens de « On t'écoute » sont venus nous donner des dépliants et nous expliquer que, lorsqu'on ressent le besoin de se confier, on peut les appeler gratuitement.

J'ai lu le dépliant. Il y avait plein de dessins vivants et ensoleillés ainsi que des petites phrases du genre :

« Tu te sens comme le dindon de la farce ? Appelle-nous, on t'écoute ! » Et le dessin montrait un visage de jeune sur un corps de dinde. Un peu dégueu.

« Tu te sens pris en sandwich ? Appelle-nous, on t'écoute ! » L'image représentait un jeune entre deux tranches de pain.

« Tu ne te sens pas comme un poisson dans l'eau ? Appelle-nous, on t'écoute ! » Et on voyait une tête de jeune sur un poisson qui saute hors de son bocal.

Kat, qui regardait aussi le dépliant, m'a fait remarquer que ça ressemblait à Plouchy et on a éclaté de rire en silence, mais Denis Beaulieu nous a vues. J'ai failli lever ma main pour demander : « Est-ce qu'on peut appeler quand notre mère sort avec notre directeur ? », mais je me suis abstenue.

En tournant les pages du dépliant, j'ai vu :

« Tu te sens comme un extraterrestre ? Appelle-nous, on t'écoute ! »

J'ai arrêté de rire d'un coup et je me suis enfoncée dans le siège inconfortable de l'auditorium.

Ça fait six fois que je compose le numéro de « On t'écoute » et que je raccroche.

C'est à la septième que je réussis.

Bénévole d'On t'écoute (avec une voix gentille) : « On t'écoute », bonjour !

Moi : Euh… oui, je m'appelle Aur…

B : Tu peux rester anonyme.

Moi : Ah, euh… ben, je m'appelle Aur… e, Aure.

B : On t'écoute !

Moi : Je suis une extraterrestre !

B : Tu veux dire que tu te sens différente des autres…

Moi : Ben oui, ça, mais je pense que je suis vraiment une extraterrestre.

B : Pourquoi ?

Moi : J'ai accumulé quelques preuves. 1) Je n'ai pas d'idole. J'aime bien Daniel Radcliffe, mais c'est juste parce que je le trouve beau et que, vu que je n'ai jamais embrassé personne, je m'entraîne des fois avec lui ; tiens d'ailleurs 2) je m'entraîne à embrasser avec une affiche de star de cinéma ou mon bras, alors que toutes les filles de mon âge ont déjà embrassé quelqu'un ; 3) impossible que je tombe un jour amoureuse, ça ramollit le cerveau et ça ne me branche vraiment pas ! J'ai vraiment besoin de tous mes neurones pour avoir de meilleures notes, surtout en français, parce que je suis la plus mauvaise du bon niveau. Je me suis d'ailleurs sûrement retrouvée là par erreur, totale victime du système ; 4) il y a de la poussière de météorite dans ma maison… ben, dans les autres aussi, mais en tout cas, 5) ça se peut que ma mère sorte avec mon directeur ; 6) il y a un garçon devant qui je fais tout le temps des gaffes ; et 7) mon père est décédé d'une embolie pulmonaire, paf ! comme ça, et même si vous allez trouver ma théorie capilotractée, je pense que c'est en réalité un extraterrestre et qu'il est reparti sur sa planète parce qu'il y avait un virus et qu'il était le seul à pouvoir sauver son peuple !

B : Il était médecin ?

Moi : Non… mais… ça se peut que, sur sa planète, ça ne pose pas de problème !

B : Pourquoi tu penses que ton père est sur une autre planète ?

Moi : Euh… parce que je ne vois pas d'autre endroit où il pourrait être.

B : Au paradis ?

Moi : C'est où, le paradis ?

B : Au ciel.

Moi : Et voilà !

B : (Silence.)

Moi : Quand mon père est mort, ma mère m'a dit

qu'elle ne savait pas ce que c'était que la mort. Elle m'a dit qu'elle tenait à me dire la vérité.

B : Et toi, tu t'es sentie comment par rapport à ça ?

Moi : Au début, quand mon père est mort, je ne réalisais pas trop ce qui se passait. J'avais de la peine, mais j'étais tellement habituée à le voir revenir que je croyais qu'il allait revenir un jour… Je ne sais pas comment expliquer ça.

B : Et tu crois encore ça ?

Moi : Non, mais… je l'imagine sur une autre planète.

B : Mais tu es consciente que c'est ton imagination.

Moi : Est-ce que c'est de l'imagination, de croire que quelqu'un va au paradis ?

B : Ça t'a fait de la peine que ta mère ne te donne pas une belle image de la mort ?

Moi : Même la mère de mon amie Kat, quand son poisson rouge est mort, elle lui a dit qu'il était au paradis des poissons !

B : Peut-être que ta mère a voulu partager ses propres valeurs, ses croyances à elle.

Moi : Quelles croyances ? Elle ne croit en rien, à part que tout devrait toujours être propre !

B : Elle a sans doute voulu te dire ce qu'elle croyait juste. Tu devrais peut-être en parler avec elle.

Moi : Je ne peux pas… Elle pleure quand on en parle.

B : Insiste. Tu devrais lui parler de ça et de ton directeur, également.

Moi : C'est si simple quand elle ne s'intéresse qu'au ménage !

B : Exprime tes sources de stress avec respect et tout va bien aller.

Moi : D'accord, merci, madame…

B : Une dernière chose… En ce qui concerne le garçon avec qui tu fais toujours des gaffes. Quand ton père est décédé, tu as eu le cœur brisé… Vrai ?

Moi : Pas besoin d'avoir un QI supérieur pour deviner ça !

B : Alors, tu t'es sûrement forgé une grande carapace pour continuer à survivre. Mais ce n'est pas parce que tu as eu cette grosse peine que tu dois t'empêcher de vivre des émotions. En d'autres mots, ce n'est pas parce que ton père est mort que tu dois t'empêcher de vivre.

Moi : Je ne m'empêche pas de vivre ! Et puis, quel est le rapport avec le garçon avec qui je fais des gaffes ? Et avec mon affaire d'extraterrestre ?

B : Tu sais, être différente des autres, c'est une qualité. Tu trouveras une façon de faire ta place tout en étant toi-même.

Pffff ! Tu m'étonnes que c'est un service gratuit ! C'est vraiment n'importe quoi !

21 heures

Re-pfff ! je suis certaine qu'elle n'a même pas de diplôme en psychologie !

21 h 30

Elle a peut-être un peu raison (même si c'est é-vi-dent qu'elle n'a pas de diplôme), MAIS JE NE RAPPELLE-RAI PLUS JAMAIS !

Décembre

Ma bonne étoile

Même s'il n'y a pas encore de neige, ça commence à ressembler de plus en plus au temps des fêtes. Il y a des lumières de Noël dans les arbres dépourvus de feuilles, et sur toutes les maisons du quartier ! Et les chansons de Noël ont commencé à passer à la radio. Au sujet des chansons de Noël… je n'ai pas besoin d'être une experte en anglais pour savoir de quoi parlent les chansons *Please Be Home for Christmas* ou encore *I'll Be Home for Christmas* et, chaque année, quand je les entends, j'ai toujours une petite pointe de tristesse dans le cœur. Ma mère aussi. Chaque fois que l'une de ces chansons passe à la radio, on change de station. Ce n'est pas une convention entre nous, c'est quelque chose qu'on fait, disons, machinalement. Les chansons de Noël joyeuses, ça met vraiment de la joie dans le cœur, mais les chansons de Noël tristes, ouh là là, elles sont affreusement tristes !!!

Ma mère est venue me reconduire à l'école et, en passant devant le kiosque de sapins de Noël du coin de la rue (qui sent trop bon !!!), elle m'a dit qu'on ferait notre sapin samedi. Elle m'a aussi demandé de lui dresser une liste de suggestions de cadeaux de Noël, ce qui m'a fait penser que je devrai moi aussi lui acheter un cadeau. Mais je n'ai pas besoin de liste, je sais ce qu'elle aime : la petite lingerie sexy ! Seulement ce serait bizarre que je lui offre ça. Hum… je vais essayer de penser à autre chose.

16 heures

Kat et moi avons traîné longtemps à l'école après le dernier cours. Elle voulait que je l'aide à faire son devoir de français. Mais le tout s'est transformé en gigantesque campagne publicitaire sur son petit copain merveilleux (selon elle) ! J'imaginais Kat en train de dire à la télé : « Achetez le Truch ! Votre vie en sera transformée ! » « Le Truch est disponible en trois couleurs : blanc comme un drap l'hiver, bronzé l'été et rouge lorsqu'il devient timide. » Et là, une voix masculine dirait rapidement : « Pas responsable des défauts de fabrication si votre Truch ne rougit pas parce qu'il a trop confiance en lui. »

Après l'école, je suis allée chez Kat pour y prendre les hamsters. Julyanne avait le même tee-shirt que moi. Kat m'a dit dans l'oreille : « Je t'avais dit que tu étais son idole ! » Elle m'a ensuite confié que, même si elle compatissait, elle était contente d'en être débarrassée parce que avant, c'était elle que Julyanne copiait. Moi, ce que ça m'a fait réaliser, c'est qu'à part mon uniforme scolaire, je n'ai pas vraiment beaucoup de vêtements, donc je dois être assez facile à copier.

Kat n'a pas voulu venir à l'animalerie avec moi, car elle allait au cinéma avec Truch. Son slogan publicitaire d'aujourd'hui : « Truch est tellement gentil ! Il me paie toujours du pop-corn ! » Bon, si elle veut devenir obèse, c'est son problème ! Personnellement, le popcorn, je trouve que ça sent le vomi.

Quant à Julyanne, les adieux aux bébés hamsters étaient tellement difficiles qu'elle n'a pas eu la force de venir. Elle pleurait tellement qu'elle les a tout mouillés de larmes. La voir aussi triste m'a fait de la peine. Et j'ai eu envie de pleurer, par solidarité, mais quand Kat a vu pointer une larme sur ma joue, elle a dit :

– Oh ! Tu ne vas quand même pas pleurer pour une bande de hamsters laids !

Ça m'a fait rire, et Julyanne a commencé à engueuler Kat et à dire qu'elle était insensible, alors ça a changé l'ambiance. Ouf !

18 heures

Après de looooongs adieux, Julyanne a placé Bacon junior, Buffy et Bono dans une boîte à chaussures qu'elle avait toute bien décorée. Elle avait mis de la dentelle et, à l'intérieur de la boîte, un petit coussin qu'elle avait pris dans son ancien lit de Barbie.

18 h 30

Je suis allée à l'animalerie pour donner les hamsters. Nicolas n'était pas là, et c'est une fille d'une vingtaine d'années qui m'a accueillie. Elle semblait assez cool, elle avait les cheveux courts, rouges, et une minijupe avec des bottes hautes.

Moi : Hello, je suis une amie de Nicolas… Enfin, pas vraiment son amie, on ne s'est pas vus assez souvent pour ça, mais disons que quand on se voit, on s'entend bien. Euh… en fait, je ne sais pas trop si on s'entend bien parce que souvent ; je dis vraiment n'importe quoi…

Fille aux cheveux rouges : Nicolas ne travaille pas ce soir.

Moi (me demandant si je peux me faire opérer pour devenir muette) : Euh… d'accord. C'est parce qu'il m'a dit que je pouvais lui donner trois bébés hamsters.

Fille aux cheveux rouges : Pas de problème.

Elle ouvre la boîte, regarde dedans et me dit merci.

Moi : Euh… Nicolas m'a promis que les hamsters ne seraient pas donnés à manger aux serpents.

La fille éclate de rire.

Fille aux cheveux rouges : C'est clair !

Moi : Leurs noms, c'est…

Fille aux cheveux rouges : Leur nouveau propriétaire va leur en donner un.

Moi : Ah… je comprends.

Fille aux cheveux rouges : Veux-tu récupérer ta boîte de Barbie ?

Moi (en reprenant la boîte) : Ce n'est pas vraiment ma boîte, c'est la boîte de la sœur de mon amie, c'est elle qui a fait ça parce qu'elle aime les petits hamsters. En tout cas, je tiens juste à préciser que… je n'ai pas de boîte de Barbie.

Fille aux cheveux rouges : C'est bon, je ne dirai pas à Nic que tu joues à la Barbie ! (Et elle me fait un clin d'œil.)

Moi : Non, c'est vrai, c'est à la sœur de mon amie, qui a dix ans, et elle a pris ces décorations-là dans ses anciennes affaires de Barbie. Euh… est-ce que ça dérange si je vais voir les bébés minous ?

Fille aux cheveux rouges : Pas de problème. Vas-y.

18 h 45

Ça fait dix minutes que je suis devant la cage et je constate que les minous ont un peu vieilli. Ils sont trop, trop, trop mimi ! Un autre employé est venu me dire qu'il y avait trois femelles et deux mâles. Pour m'amuser, je leur ai donné des noms.

Petit minou gris et blanc : Mitch. (L'autre jour, je regardais une émission en anglais et il y avait un policier qui s'appelait Mitch ; c'est le seul mot que j'ai compris, et si ce policier était un minou, il ressemblerait sûrement à ça.)

Petite chatoune caramel, blanc et gris : Bourrasque. (Parce qu'elle est toute hérissée, on dirait que son poil s'est retourné dans le vent.)

Petit minou gris, avec les pattes blanches : Grisou. (Facile.)

Petite chatoune caramel et blanc : Rory. (Parce qu'elle me fait penser à Rory de *Gilmore Girls*.)

Petite chatoune blanche, avec une tache grise sur le front : Sybil. (Je trouve que c'est un beau nom et qu'elle a l'air d'une princesse, car, sa tache grise, on dirait une couronne ! Ce n'est pas que je connaisse personnellement des princesses du nom de Sybil, mais il me semble que ce serait un beau nom pour quelqu'un qui a du sang royal.)

19 heures

Sybil n'arrête pas de vouloir agripper un fil qui dépasse de mon manteau. Elle est tellement belle ! Elle me regarde avec ses yeux verts et son petit nez rose, et elle fait : « Mmiuuuuu, miuuuuu » en essayant d'attraper le fil de mon manteau à travers les barreaux de la cage.

19 h 30

La fille aux cheveux rouges est venue me voir et m'a demandé si je voulais en acheter un. J'ai été surprise quand elle m'a dit que ça faisait presque une heure que j'étais là et que mes parents allaient peut-être s'inquiéter.

20 heures

Effectivement, ma mère s'inquiétait et elle était un peu fâchée quand je suis rentrée. Je lui ai parlé des minous et je lui ai demandé si je pouvais en avoir un. Elle m'a dit non, catégoriquement. Elle a dit que ça demandait beaucoup trop d'entretien, que je ne m'en occuperais pas et qu'elle serait toujours obligée de vider la litière. Je me demande si ma mère est capable de penser à autre chose qu'à la propreté ! (Et aux strings !)

Samedi 3 décembre

Ce matin, j'ai tenté de prouver à ma mère que j'étais bonne pour faire le ménage en faisant la vaisselle tout de suite après le déjeuner. Mais elle a deviné ma tactique et elle m'a dit que ce n'était pas parce que je faisais la vaisselle aujourd'hui qu'elle allait changer d'idée sur ma capacité à m'occuper d'un animal. Grrrr. C'est vrai que j'aurais peut-être dû être plus subtile et ne pas la regarder en souriant de toutes mes dents en lui faisant remarquer : « Regarde, je fais la vaisselle. » Peut-être que si je ne m'étais pas donnée en spectacle, mon plan aurait fonctionné.

Ma mère est allée dehors poser des lumières de Noël.
Si elle sort avec Denis Beaulieu, il est très peu courtois
de ne pas venir l'aider à poser les lumières de Noël !
Elle m'a dit de m'habiller, car quand elle aura fini on
ira acheter le sapin. Yahouuuuu !

11 h 30

Ma mère et moi sommes devant le marchand de sapins.
Les messieurs sont habillés en chemises rouges à car-
reaux, il y a un faux feu de cheminée en guise de déco-
ration et de la musique de Noël pour nous mettre dans
l'ambiance. Je prends une grande « sniffée » de chaque
sapin pendant que je suis là. J'adoooore cette odeur !
Ça devrait sentir le sapin toute l'année ! Partout !
Ma mère : Lequel tu veux ?
Moi : Je ne sais pas, ils sentent tous bons !
Ma mère : Lequel tu trouves le plus beau ?
Moi : Je ne sais pas si je les aime pour leur beauté ou
pour leur odeur.
Ma mère (éclatant de rire) : Ils sentent tous la même
chose !
On a finalement choisi un sapin qu'on était capables
de transporter à deux et on l'a apporté chez nous. (Ma
mère préfère toujours qu'on transporte le sapin à pied

parce qu'elle n'aime pas faire des saletés dans son auto. Très surprenant !)

20 heures

Notre sapin est tout décoré. J'adore sortir les décorations des boîtes, mais ce que je déteste, c'est les ranger une fois Noël fini. Pendant qu'on plaçait les guirlandes et les boules, j'ai repensé à ce que la fille de « On t'écoute » m'avait dit (non pas que j'aie nécessairement changé d'avis en ce qui concerne ses compétences, mais j'ai quand même trouvé que ce qu'elle avait dit n'était pas totalement dépourvu de bon sens) et j'ai eu envie de poser des questions à ma mère au sujet de ses amours, seulement la conversation ne s'est pas terminée comme prévu.

Moi (en plaçant une boule) : Je me demande ce que Denis Beaulieu fait aujourd'hui, tiens...

Ma mère : Tu penses à l'école même le week-end ?

Moi : En fait, c'est plus que... je me demandais... euh... de quoi vous parlez... ensemble ?

Ma mère : Eh bien... de toi !

Moi (pensant que ça devait être une relation assez nulle, Truch me semblait soudain être un amoureux plus charmant) : Ah bon ?

Ma mère : Et puis ensuite d'autres choses, mais en particulier de toi.

Moi : Ah…

Ma mère : Pourquoi tu me demandes ça ? As-tu encore des problèmes à l'école ?

Moi : Non !

Ma mère : Tant mieux !

Moi : Maman… toi, qu'est-ce que tu penses de… des strings ?

Ma mère : Ne me dis pas que c'est ça que tu veux pour cadeau de Noël ? ! ?

Moi : Bien sûr que non ! Ce n'est pas mon genre, à moi, d'avoir des élastiques tu sais où !

Ma mère : Je me disais aussi…

Finalement, je n'ai rien appris du tout, à part que même si ma mère porte elle-même des strings, elle ne semble pas vouloir que moi j'en porte. Soit elle trouve ça très inconfortable, soit elle est totalement inconséquente dans ses opinions vestimentaires.

20 h 14

Ma mère m'a demandé si ça me dérangerait qu'on passe le réveillon de Noël seulement toutes les deux. Habituellement, on va chez ses parents et, le lendemain, on va chez ma grand-mère Laflamme. Mais ma mère m'a dit qu'elle aimerait qu'on soit toutes les deux et qu'on ne se stresse pas avec le reste. Qu'on visiterait la famille les jours suivants. Yes !!! Non pas que ça ne me tente pas de voir mes grands-parents, mais il est rare que je puisse avoir un vrai moment avec ma mère.

21 heures

J'ai essayé de faire une liste de cadeaux de Noël, mais je n'ai pas trouvé grand-chose qui me fasse envie.
– Un jeu vidéo.
– Des belles fringues.
– Un minou !!!

Quand j'ai donné ma liste à ma mère, je la regardais en me tordant les doigts et, bien que j'aie eu l'impression un instant qu'elle allait dire oui, elle a clamé : « Non ! » J'ai dit : « S'il te plaît, s'il te plaît, s'il te plaît ! Je vais faire tout ce que tu veux ! »

Ça n'a pas marché. Elle n'a pas dû bien évaluer ma proposition. Personnellement, si quelqu'un m'offrait de faire tout ce que je veux, j'y réfléchirais un peu plus longtemps parce que ça peut être vraiment pratique.

Constatation : ma mère ne sait pas saisir les opportunités.

Pub du jour sur Truch : il est blablabla extraordinaire blabla.

Mercredi 7 décembre

Ouf ! quelle semaine ! J'ai tenté de prouver à ma mère que j'étais bonne pour faire le ménage (et, cette fois, j'ai été capable d'être plus subtile), ensuite je me suis plongée à fond dans mes études (ça aussi, ça fait partie de mon plan, pour montrer à ma mère que je suis super mature). J'ai suivi à la lettre la mé-tho-de de tra-vail de Jocelyne. J'avoue qu'en vue des examens, sa méthode de travail est très pratique, elle permet de se repérer facilement (note à moi-même : ne pas répéter ça à Kat). Mon examen de maths est celui qui me stresse le plus. Avec celui de géo et celui d'anglais. J'ai pas mal de stress, finalement. Ma mère m'a dit que, si j'étais trop stressée, elle me paierait un massage. Elle dit que, depuis qu'elle a découvert ça, sa vie a changé. Et, selon elle, ça améliorerait mes résultats scolaires. N'importe quelle mère m'aurait dit que, si j'étudiais bien, j'allais réussir, mais ma mère veut me payer un massage ! J'ai la plus grande preuve qui soit qu'elle est amoureuse parce qu'elle a le cerveau définitivement ramolli !

D'ailleurs, j'ai une autre preuve. Ce matin, ma mère s'est levée en fredonnant *Vive le vent d'hiver*. Et aujourd'hui, à l'école, j'ai croisé Denis Beaulieu dans le corridor et il fredonnait lui aussi *Vive le vent d'hiver* ! Si ce n'est pas un signe, ça, je me demande bien ce que c'est ! J'en ai parlé à Kat, qui m'a dit que c'était une totale coïncidence, que *Vive le vent d'hiver* était une chanson de Noël très commune, et elle a changé de sujet pour me servir une autre séquence de pub sur Truch-le-magnifique.

Arguments de Kat ces derniers jours :
Lundi : Truch m'a dit que j'étais plus belle que Paris Hilton.
Mardi : Truch et moi, on a parlé TROIS HEURES au téléphone hier.
Aujourd'hui : Truch m'a dit que ce serait chouette que j'aille à la même école que lui.

Moi : Oh non ! Tu ne vas pas changer d'école ?
Kat : Bah… ce serait quand même bien d'être plus souvent avec Truch.
Moi : Et moi ?
Kat : Change d'école, toi aussi !

Impossible d'avoir une journée de répit !

Jeudi 8 décembre

Après l'école, Kat m'a proposé d'aller à l'animalerie. Je l'ai avertie que Nicolas ne serait peut-être pas là et que, dans ce cas, elle ne pourrait pas mettre à exécution son plan de me convertir à la secte des cerveaux ramollis. (Je n'ai pas dit ça, j'ai dit : « C'est une fille aux cheveux rouges bizarre qui travaille là, maintenant. »)

Kat m'a avoué qu'elle avait envie de savoir ce qu'étaient devenus les bébés hamsters.

16 h 5

La fille aux cheveux rouges était là quand nous sommes entrées au son du gling-gling de la porte de l'animalerie. J'ai fait un saut quand un immense père Noël en plastique a bougé son bras en criant : « Ho ! ho ! ho ! », et j'ai remarqué que la fille aux cheveux rouges avait un sourire en coin. (Elle rit de moi, carrément. Espèce de pouffe qui pense que je joue à la Barbie !)

Fille aux cheveux rouges : Salut, les filles ! Vous venez voir Nic ?

Kat : Elle oui, mais moi je viens pour les hamsters.

Fille aux cheveux rouges : Les hamsters sont là-bas, Nic est avec les serpents.

Moi : Je ne viens pas pour Nic… Tais-toi, Kat, pfff ! Moi je veux voir les minous.

Bono (au loin) : Salut ! Salut ! Merde !

Monsieur avec une grosse bedaine : Si je coince celui qui a appris à Bono à dire « merde », il va voir ! Oh ! Bonjour, mesdemoiselles ! Qu'est-ce qu'on peut faire pour vous ?

Fille aux cheveux rouges : Ce sont des amies de Nicolas.

Monsieur avec une grosse bedaine (probablement l'oncle de Nicolas, si j'ai un bon sens de la déduction) :

Ah ! Salut ! Enchanté ! (Il nous tend la main.) Je suis son oncle. (J'ai un bon sens de la déduction ! Je suis peut-être une descendante de Sherlock Holmes ou d'un autre grand détective.) Il est en train de laver la cage des serpents, si vous voulez le voir.

Moi : On n'est pas vraiment ses amies…

Kat : Je voulais juste voir mes hamsters…

Oncle de Nicolas : Oh…

Kat : Quoi ?

Oncle de Nicolas : C'est toi qui les as amenés ici ?

Kat : Non, c'est elle, mais ce sont les bébés de mon hamster ! Quoi ? Qu'est-ce qu'il y a ?

Bono : Merde !

Oncle de Nicolas : Saleté d'oiseau ! Savez-vous combien ça coûte, un perroquet comme ça ? Je ne pourrai jamais le vendre !!!

Moi : Vous n'avez pas donné les hamsters à manger aux serpents ?

Kat : Quoi ? Tu as donné mes hamsters à des cannibales ?

Oncle de Nicolas : Non, non. On les a mis en vente, mais…

Kat : MAIS QUOI ?

Nicolas : Ils se sont… mangés… entre eux.

Bono : Salut ! Salut !

J'ai cru que j'étais en train de me taper une crise

cardiaque quand j'ai entendu « gling-gling » et « Ho !
ho ! ho ! ». C'était trop en même temps.
Kat : Quoi ? Ils sont où ?
Fille aux cheveux rouges (pointant le doigt dans la
même direction que tout à l'heure) : Là-bas.
En me retournant vers l'endroit qu'indiquait la fille aux
cheveux rouges, j'ai vu Nicolas.
Nicolas : Il n'en reste qu'un. Les deux autres se sont
battus. Quand on est revenus, il y en a un qui avait le
cou... tranché.
Moi : Oh mon Dieu !
Bono : Oh mon Dieu !
Moi (à Nicolas) : Il sait dire ça aussi ?
Nicolas : Salut, en passant.
Moi : Salut...
Bono : Salut !

16 h 15

Kat est devant la cage des hamsters. Il ne reste que
Buffy.
Kat (les larmes aux yeux) : Je te l'avais dit, que leur père
était un monstre ! Ils avaient ça dans le sang.
Moi : Je pensais que tu les détestais.
Kat : J'ai l'air d'une sans-cœur ??? !!!
Moi : Ben...
Kat : Ha. Ha. Ha.

Moi : Je disais ça pour rire.

Kat (à Nicolas) : Les as-tu vus ?

Nicolas : Non, j'étais à l'école quand ils ont été trouvés. Ce n'est pas moi qui ai lavé la cage.

Kat : Buffy ! T'es supposée empêcher les autres de se trancher la gorge !

Nicolas : Ce n'est pas la première fois que ça arrive.

Kat : Penses-tu que Buffy va trouver une bonne famille ?

Nicolas : C'est clair ! Hé, Aurélie, t'as vu les chats ?

Nicolas nous a guidées vers la cage des minous et j'ai traîné Kat par le bras, qui ne quittait pas la cage des hamsters des yeux. Honnêtement, je ne pensais pas qu'elle était aussi attachée aux bébés hamsters. Elle n'arrêtait pas de répéter : « Qu'est-ce que je vais dire à Julyanne ? » « Bacon junior ! Je suis sûre que c'est sa faute ! Il ressemblait trop à son père ! »

16 h 41

Quand on est arrivés devant la cage des minous, Sybil s'est levée sur ses pattes de derrière, comme pour me dire bonjour.

Moi : Hello, ma belle Sybil !

Nicolas : Sybil ?

241

Moi : L'autre jour, je leur ai tous donné des noms. Il y a Mitch, Rory, Bourrasque et… où il est, Grisou ?

Nicolas : Il y en a un qui a été adopté hier. Ça doit être Grisou.

Moi : Ah…

Sybil tapait avec ses petites pattes sur la cage et je l'ai caressée à travers les barreaux. Elle a attrapé mon doigt, l'a mordillé et a commencé à le lécher.

Nicolas : Tu t'es fait une amie.

Kat : Qu'est-ce que je vais dire à ma sœur ?

Nicolas : Hé, les filles… il y a une soirée demain chez un pote. Ça vous tente de venir ?

Kat : Tope là ! Est-ce que je peux amener mon petit copain ?

Nicolas : Bien sûr ! Il va y avoir plein de monde. On fait une grande fête de Noël. (Il se retourne vers moi.) Et toi, Aurélie ?

Moi : Ah non. Moi, je ne peux pas.

Kat : Comment ça, tu ne peux pas ?

Moi : Il faut que… j'étudie. J'ai promis à ma mère (je me retourne vers Sybil) d'améliorer mes notes.

Kat : T'es folle ? Demain, c'est vendredi !

Nicolas : Si vous changez d'avis, voici l'adresse.

Là, il a pris ma main, et il a écrit l'adresse dans ma paume avec un crayon bleu. Ça pourrait avoir l'air limite impoli, parce que l'encre bleue, c'est très difficile à nettoyer sur la peau. Après ça, j'ai voulu partir, j'ai foncé dans l'oncle de Nicolas qui m'a dit en riant : « Ho ! ho ! Regarde où tu marches, la p'tite ! » J'ai baissé la tête jusqu'à la porte et je suis sortie de l'animalerie, suivie de Kat qui riait aux éclats. Puis Bono a crié : « Bon débarras ! Bon débarras ! » Et Kat s'est arrêtée de rire pour dire : « Crétin de perroquet ! » Et elle a recommencé à rire. Franchement, je trouve que j'ai très peu de soutien de la part de ma supposée meilleure amie.

17h15

En arrivant chez elle, Kat a arrêté de rire de moi quand elle a vu sa sœur. Et quand Julyanne lui a demandé comment allaient ses bébés, elle a dit, après un moment d'hésitation :
– Bacon junior et Bono ont été adoptés.
Et là, j'ai su qu'elle n'avait pas le cerveau si ramolli que ça.

Kat a tout fait pour me convaincre de venir à la soi-rée. Truch est d'accord et il connaît un peu le gar-çon chez qui a lieu la fête parce qu'ils ont déjà joué dans la même équipe de foot. On s'est écrit des mes-sages toute la journée. (Pas Truch et moi, mais Kat et moi... Franchement, comme si j'écrivais des messages à Truch !) Heureusement, on ne s'est pas fait prendre parce qu'on a une nouvelle technique. On attend que le ou la prof (selon le cours) soit tourné vers le tableau. Jocelyne, avec sa mé-tho-de de tra-vail infaillible, passe beaucoup de temps à écrire au tableau pour nous mon-trer quoi faire. Bon, le fait d'écrire à Kat pendant le cours de maths ne m'aidera en rien à améliorer mes notes. Et ce n'est pas le massage que ma mère veut me payer qui m'aidera non plus. Mon dernier message était d'ailleurs pour dire à Kat que je ne pourrais pas avoir le cadeau de Noël que je voulais si je continuais à parler de soirée et à écrire des messages. Elle m'a envoyé un autre message pour me jurer qu'elle ne me dérangerait plus si je lui promettais de venir ce soir. À contrecœur, j'ai accepté (question de mettre toutes les chances de mon côté, niveau intelligence supérieure et stratégie de cadeau de Noël).

20 h 30

On est arrivés à la soirée il y a une demi-heure et Nicolas n'est pas encore là. Il travaille peut-être encore à l'animalerie. De toute façon, ce n'est pas si grave que ça, ce n'est pas comme si je voulais absolument le voir. Kat et Truch sont allés dans un coin pour s'embrasser, alors je me sens un peu seule. Au moment où j'ai entendu la chanson *I'll Be Home for Christmas*, chantée a cappella par les 'N SYNC (je crois), j'ai décidé d'aller m'asseoir dans un immense pouf qui avait l'air très confortable. Assise là, j'ai remarqué que *I'll Be Home for Christmas*, chantée par 'N SYNC, n'est pas si triste ni si touchante que ça. Beaucoup moins que les vieilles versions interprétées par des crooners. On dirait que les 'N SYNC ne sentent pas l'esprit de la chanson et qu'ils tiennent plus à montrer qu'ils sont capables de chanter a cappella qu'à nous faire ressentir une émotion. En ce moment, ça me fait grandement apprécier les 'N SYNC, car leur interprétation sans émotion m'empêche, moi, d'en ressentir, ce qui me mettrait mal à l'aise dans une soirée. Après la chanson, je veux m'extirper du pouf, mais j'en suis incapable. J'essaie de forcer avec mes jambes, mais je suis complètement coincée et, au moment où je crois pouvoir réussir à me lever, je vois Nicolas qui s'avance vers moi. Comme je ne veux pas perdre le peu de dignité qui me reste devant lui avec des mouvements disgracieux, je décide de stopper toute tentative pour sortir du pouf et je croise mes jambes d'une façon très féminine (le peu de féminité que je peux avoir, enfoncée dans un pouf).

Lui : T'es venue ?

Moi (tentant de conserver ma pose, style top-modèle) : Oui...

Lui : Cool !

Moi : Les minous vont bien ?

Lui : On en a vendu un autre tout à l'heure.

Moi : Pas Sybil ???

Lui : Non... Je crois que c'est Rory.

Moi : Ah. Ton oncle a l'air fâché que son perroquet dise des gros mots.

Lui : T'en fais pas avec ça ! Il adore Bono. Il ne veut pas le vendre. Il fait son bougon mais, dans le fond, je crois qu'il est content. Il est juste un peu gêné quand des familles entrent pour acheter un animal et que le perroquet se met à jurer ou à crier : « Bon débarras ! » quand les gens s'en vont.

Moi : Ha ! ha ! ha ! ha ! Ça doit être drôle !

Lui : Est-ce que tu veux danser ?

Moi : Euh… non. Je préfère rester ici.

Lui : Ah, d'accord. Ben… c'est cool que tu sois venue.

Moi : Ouais, tu l'as déjà dit tout à l'heure.

Lui : Je suis en train de prendre des habitudes de perroquet.

Moi : Ouais, ha ! ha !

21 h 45

Pendant que je regarde Nicolas parler avec Marithé Roberge, je me repasse notre conversation dans ma tête et j'essaie de penser à toutes les choses intelligentes que j'aurais pu répondre du tac au tac. Je ne comprends pas pourquoi mon cerveau fonctionne à retardement comme ça. Ce n'est pas du tout pratique ! J'aurais dû rester chez moi et augmenter mon QI au lieu de venir ici passer la soirée dans un pouf !

21 h 47

C'est vraiment nul, d'être coincée dans un pouf. J'ai chaud là-dedans et, quand je bouge, ça fait des bruits chelou. Une chance qu'il y ait de la musique, je peux battre la mesure de mon index.

Kat vient me rejoindre. Enfin, je vais pouvoir sortir du pouf !

Kat : Qu'est-ce que tu fais là ? Tout le monde te trouve bête et asociale !

Moi : Tout le monde ?

Kat : Oui ! Moi, en particulier !

Moi : Je me demande qui est plus asociale : moi, ou toi qui passes la soirée à rouler des pelles !

Kat : Ben, au moins, je parlais à quelqu'un !

Moi : D'après ce que j'ai observé, tu n'as pas beaucoup parlé.

Kat : C'est parce que tu me regardais dans les mauvais moments ! J'ai longtemps parlé à Marithé. Elle est cool, non ?

Moi : Bof... Son nom sonne comme des problèmes gastriques.

Kat : Vraiment pas ! Hum... T'es jalouse ?

Moi : Je ne suis pas jalouse ! J'ai le droit de moins aimer certains noms !

Kat : Marithé est un SUPER beau nom ! T'es jalouse parce que tu tripes sur Nicolas, comme je l'ai toujours dit !

Moi : Non, j'exprime juste une opinion personnelle sur un nom que j'aime moins qu'un autre, c'est tout ! Ça n'a aucun rapport avec Nicolas !

Kat : T'avais juste à sortir de ton petit coin et à aller lui parler !

Moi : Ça n'a pas de rapport ! Kat, peux-tu m'aider...

Kat : Je vais t'aider, c'est sûr ! Premièrement, quand tu vas dans une soirée, tu t'accroches un sourire sur la bouche et tu parles aux gens !

Moi : D'accord, mais...

Kat : Tu ne restes pas dans ton coin à faire la gueule toute la soirée !

Moi : Oui, mais c'est parce que je suis coincée...

Kat : Je le sais, que t'es coincée ! Il va falloir que tu passes par-dessus ta gêne et que tu te décoinces ! Que tu te so-ci-a-bi-li-ses !

Moi : Tu ne comprends rien ! Je suis coincée pour de vrai ! Je ne suis pas capable de sortir du pouf ! Peux-tu m'aider ? !

21h 59

Sur le chemin du retour, Kat et Truch ont énormément ri de moi. Ça ne me dérange pas trop de la part de Kat, mais, de la part de Truch, je trouve ça assez impoli vu qu'on ne se connaît pas tant que ça. D'ailleurs, si Kat me sert d'autres arguments publicitaires sur son petit copain, je pourrai lui parler de ce défaut de fabrication. Il existe, dans la vie, un règlement très clair que tout le monde se doit d'observer : on ne peut pas rire des amis des autres, juste de ses propres amis.

22 h 7

Une fois qu'on s'est retrouvées seules, Kat et moi, elle m'a fait tout un discours sur le fait que Nicolas flashait sur moi. Je lui ai fait remarquer qu'il avait parlé à Marithé Roberge toute la soirée.

Elle a répliqué :

— Qu'est-ce que tu ferais, toi, si la personne sur qui tu flashes préfère passer sa soirée... ha ! ha ! ha ! ha ! ha ! ha ! ha !... dans un pouf... ha ! ha ! ha ! ha ! ha ! ha ! ha !... plutôt que... ha ! ha ! ha ! ha ! ha ! ha ! ha !... te parler ?

J'ai dit :

— Bon, ça va, on a compris !

Elle a déclaré :

— Aurélie, l'amour, c'est magique ! C'est super ! C'est merveilleux ! Ça te fait sentir plein de petits papillons dans le ventre ! Plein de feux d'artifice dans ton cœur ! Tu ne devrais pas t'empêcher de vivre ça !

Ce n'est pas compliqué : si on avait été dans une comédie musicale, c'est sûr qu'elle se serait mise à chanter et à danser. Si l'amour nous rend nunuches au point de transformer la vie en comédie musicale ambulante, très peu pour moi, merci.

Kat : Ben, je te comprends. Dans le fond, Nicolas n'est pas aussi bien que Truch et tu attends peut-être de trouver un garçon du même calibre.
Moi : Nicolas est mieux que bien ! Il est super ! Il est mignon ! Il est vraiment gentil ! Il a de beaux yeux ! Et il sent le bon assouplissant !
Kat (en me pointant du doigt) : Ah ! je le savais, que tu le kiffais ! Je le savais ! Je le savais ! Je le savais !

Note urgente à moi-même de la plus haute importance : travailler à stimuler mes neurones au plus vite, question d'échapper aux manipulations machiavéliques de ma meilleure amie.

22 h 31

Je regarde les pingouins sur mon pyjama mauve, car je suis incapable de me concentrer sur la BD que ma mère m'a achetée. Kat aurait-elle raison ? Est-ce que ça se pourrait que j'en pince pour Nicolas sans le savoir ? Mais non, c'est impossible ! Kat est amoureuse, elle mène une campagne de presse pour l'amour et, moi, je me laisse influencer par sa pub. C'est tout. Elle a fini par me faire un lavage de cerveau avec tous ses Truch par-ci, Truch par-là, l'amour est ci, l'amour est ça. Hé ! Ça ferait une bonne chanson pour une chanteuse pop ! L'amour est ci, l'amour est ça, papadapapa…

22 h 50

J'aime ça, la façon dont Nicolas dit « Aurélie »… « Aurélie ». Ça sonne comme un beau nom quand il le dit. Avec des effluves de chewing-gum au melon, c'est encore plus cool.

22 h 55

Aurélie, c'est moi !!!!!!!!!!!!!!!!!!!!

22 h 56

Bon, on se calme ! Ça ne me tente pas du tout de me transformer en actrice de comédie musicale comme Kat ! Mais un instant, même pour rire, je me suis vue dans une comédie musicale quand j'ai pensé : « Aurélie, c'est moi !!!!!!!!!!!!!!!!!!!! » J'aurais levé les bras, le rythme de la musique se serait accéléré, et il y aurait eu un roulement de tambour avant un dernier accord de guitare, puis les lumières se seraient éteintes. Bon, ça y est ! On ne peut pas penser positivement à un garçon deux secondes sans devenir bête !

252

22 h 57

Je me demande si c'est vrai qu'il flashe sur moi. Il doit plutôt me trouver super idiote ! Peut-être que je devrais lire autre chose que des BD ? Ah non ! Je ne vais pas commencer à changer pour un garçon !

22 h 59

Note importante à moi-même : arrêter d'écouter Kat. Elle me met des idées dans la tête, qui nuisent à l'expansion (très désirée) de mes neurones.

Samedi 10 décembre

Alors que j'avais décidé d'étudier, ma mère m'a annoncé qu'elle voulait faire le tri de sa garde-robe et qu'elle avait besoin de mon avis. Elle m'a montré tous ses vêtements (dont certains dataient de l'époque préhistorique, genre années soixante-dix), puis on a fait trois piles : une pile de vêtements pour aller faire les courses, une pile de vêtements de vacances et une pile de vêtements à donner à des organismes de charité (j'ai proposé qu'elle les donne à des costumiers, mais elle ne m'a pas trouvée si drôle). Finalement, elle m'a dit qu'elle n'avait pas besoin de vêtements spécialement pour aller faire ses courses, on a mis cette pile sur la pile de charité et on n'a conservé que la pile de vêtements de vacances (on n'a pas de maison de campagne, mais si un jour elle est invitée ce sera pratique). Puis, quand elle a sorti d'autres vêtements, j'ai vu un vieux chandail de laine de mon père. Ça m'a fait comme un coup au cœur. Elle m'a regardée et elle a dit :

– J'avais gardé quelques-unes de ses affaires…

Moi : Ah.

Ma mère : Qu'est-ce qu'on fait avec ?

Moi : Peut-être qu'on pourrait le garder.

Ma mère : Peut-être…

Moi : Dans une boîte, si tu ne veux pas le garder dans ta garde-robe. Ou dans ma chambre.

Ma mère : Tu aimerais ça ?

Moi : Peut-être.

Ma mère a regardé le chandail quelques instants. Son cou est devenu rouge, mais la rougeur a disparu aussitôt, même si elle continuait de regarder le chandail. J'ai senti que c'était peut-être un bon moment pour lui poser mes questions.

Moi : Euh… j'aimerais te demander quelque chose…
La mère de Kat a dit que Plouchy, son poisson, était
au paradis des poissons, et je me suis toujours demandé
si mon père… ben… en fait, pourquoi tu m'avais dit
qu'il n'était nulle part.

Ma mère : Je n'ai jamais dit ça !

Moi : Tu m'as dit que tu ne savais pas ce qu'était la
mort.

Ma mère : C'est vrai.

Moi : Ça me trouble.

Ma mère : Oui… je comprends. Quand j'avais à peu
près dix ans, mon grand-père est mort. Je l'adorais.
C'était le genre de bonhomme qui fumait la pipe, qui
nous donnait toujours des bonbons, qui parlait fort,
qui buvait de la bière et qui conduisait un gros camion.
Aujourd'hui, je suis certaine que son camion serait
interdit, tellement il devait être polluant ! Et quand il
est mort, ma mère m'a dit qu'il était au paradis. Qu'il
se reposait et qu'il jouait de la harpe sur un nuage avec
les autres anges. Ça m'a tellement déprimée ! Je trouvais ça triste de l'imaginer sans sa pipe, en train de
jouer de la harpe…

Moi : Ah.

Ma mère : J'ai pensé bien faire en te disant la vérité…

Moi : L'autre jour, sœur Rose m'a dit qu'il y avait des
scientifiques qui étaient devenus croyants.

Ma mère : Ah oui ? C'est intéressant.

Moi : Mais… toi ?

Ma mère : Quoi ?

Moi : Tu crois en quoi ?

Ma mère : Je ne sais pas. En rien.

Moi : Si tu ne crois en rien, c'est que tu crois en quelque chose.

Ma mère : Non…

Moi : Ben, tu crois qu'il n'y a rien. Donc, tu crois en quelque chose, non ? (Whouaaaaa ! Mes neurones sont en feu !)

Ma mère : Tu as raison, j'imagine… Tu t'intéresses à ces choses-là, ces temps-ci ?

Moi : Un peu. Je me questionne.

Ma mère : Quand j'étais petite, mes parents m'amenaient à l'église chaque dimanche et je détestais ça ! Un jour, j'ai commencé à me questionner, comme toi, et je me suis rendu compte que la religion servait à expliquer l'inexplicable, mais tu peux aussi trouver tes propres réponses.

Moi : Comme où on va quand on est décédé…

Ma mère : Ça, tu l'as trouvé, non ? On devient un extraterrestre ! Ha ! ha ! ha ! ha ! ha ! ha ! Elle était bonne, celle-là !

Pendant que ma mère rangeait les vêtements qu'elle avait décidé de conserver (approuvés par moi), j'ai pensé que, vu qu'elle était dans de bonnes dispositions...

Moi : M'man, j'ai une autre question à te poser...

Ma mère : Tu trouves que je devrais jeter tout mes habits, hein ? Je suis ringarde, tu penses ?

Moi : Non, ce n'est pas ça. Ben, t'as vraiment plein de vieux vêtements, mais... ce n'est pas ça ! Est-ce que tu sors avec Denis Beaulieu, oui ou non ?

Ma mère : Quoi ???

Moi : J'ai accumulé plein de preuves !

Ma mère : Comme quoi ?

Moi : 1) Tu dis qu'il est charmant ; 2) tu souris quand je dis son nom ; 3) vous êtes de bonne humeur en même temps et vous fredonnez les mêmes chansons ; 4) euh... je ne me souviens plus c'est quoi, la quatrième preuve ; 5) tu dis qu'il est charmant !

Ma mère : Tu l'as déjà dit !

Moi : Bon, ben, ça fait quatre preuves !

Ma mère : Tu ne t'en souviens plus, de la quatrième !

Moi : Ben, trois, d'abord !

Ma mère : Je ne sors pas avec Denis Beaulieu ! Pas du tout mon genre ! Tu ne trouves pas qu'il sent un peu trop la lotion après-rasage ?

Moi : Ouiiiiiii ! Moi aussi, je trouve ça !

Ma mère : Tu me sors vraiment quelque chose, toi !

Moi : Je n'en reviens pas ! Ça fait des mois que je pense que tu sors avec lui en cachette !

Ma mère : Si j'avais un petit copain, je ne le te cacherais jamais, voyons ! Tu es donc bien drôle de ne pas m'en avoir parlé !

Moi : J'avais peur… de ta réaction. Je ne sais pas… Tu es bizarre depuis… Tu sais ?

Ma mère a commencé à tordre la manche du chandail de mon père.

Ma mère : En fait… tu as eu tort pour Denis Beaulieu, mais…

Moi : Mais quoi ?

Ma mère : Mais tu as quand même… En fait, c'est que, récemment… Par où commencer ? Mes amies m'ont fait remarquer que, depuis quelque temps, j'étais souvent déprimée…

Moi (dans ma tête seulement) : À moitié zombie !

Ma mère : Que j'étais obsédée par de petites choses…

Moi : Elles aussi ?

Ma mère : … et que ça me ferait peut-être du bien de… ben… de rencontrer quelqu'un… Alors, j'ai commencé à sortir dans des bars, mais…

Moi : Ça explique les strings !

Ma mère : Tu fouilles dans mes affaires ?

Oups. C'est sorti tout seul.

Moi : Tu m'avais dit de tout ramasser et il y a quelque chose à toi qui traînait, alors je l'ai mis dans ton tiroir.

Ma mère : De toute façon, ce n'est pas important. Bon, j'ai commencé à sortir et je n'ai pas aimé ça. Alors, récemment, je… j'ai…

Moi : Dis-le, mais dis-le donc !

Ma mère : Je me suis inscrite sur un site de rencontres ! Sur Internet !

J'hésite entre trouver ma mère super craignos ou super cool. Je préfère ne pas me prononcer et opter pour l'ambivalence. En fait, je préfère ne pas imaginer du tout ma mère en train de draguer. Ni en train d'embrasser. Et encore moins d'embrasser HABILLÉE EN STRING !

J'ai appelé Kat pour lui demander d'aller à la salle de jeux, mais sa sœur m'a dit qu'elle était avec Truch. Julyanne a commencé à m'abreuver de remerciements pour ses bébés hamsters, ajoutant qu'elle les imaginait dans de bonnes familles et, moi, je n'arrêtais pas de les imaginer le cou tranché. Je me suis rendu compte que je me sentais assez mal à l'aise avec le mensonge et j'ai raccroché.

18 heures

J'ai passé ma journée à lire des BD, écouter la télé, étudier, sniffer mon sapin de Noël (pas nécessairement dans cet ordre). Puis Kat m'a appelée pour me dire quelque chose sur Truch que je n'ai pas écouté et qui a rapport avec quelque chose d'autre que je n'ai pas écouté. Non mais ! Je crois que je vais recommencer à l'écouter quand elle aura d'autres sujets de conversation.

Aujourd'hui, en français, Marie-Claude nous a demandé de faire un travail qui compterait dans la moitié de la note du bulletin trimestriel. Il faut qu'on écrive soit un texte, soit un poème, et la contrainte est d'avoir une consonne qui revient constamment, comme « v » (exemple : une valise de valeur a été vendue) ou « s » (exemple : un serpent à sonnette siffle), etc. Je suis vraiment stressée ! J'aimerais tellement ça, prouver que je ne me suis pas retrouvée dans le bon niveau de français par erreur !

12 h 30

À l'heure du dîner, j'ai tenté de chercher avec Kat, mais elle était trop déprimée. Elle m'a raconté que, maintenant, Truch parle toujours avec les mains dans les poches en se grattant le nez (pas pendant qu'il a les mains dans les poches, ce n'est pas un contorsionniste, quand même !), ce qui, selon l'article qu'on avait lu dans *Miss Magazine* et qu'elle semble avoir appris par cœur, n'annonce rien de bon. Je lui ai rappelé que, la dernière fois qu'elle croyait qu'il lui avait menti, il lui avait acheté un beau nounours (nul et antisyntaxique, selon moi, mais bon, je ne le lui ai pas précisé, étant donné que j'étais en train de tenter de lui remonter le moral). Elle m'a dit qu'elle avait l'impression qu'il s'intéressait à d'autres filles. Total parano !

mercredi 14 décembre

Idées de cadeaux de Noël pour ma mère :
• Un beau collier (elle porte toujours le même).
• Un livre de recettes (ce serait pratique pour elle : l'autre jour, elle a fait un pâté chinois avec un reste de poulet, un reste de fromage, des patates et du maïs en boîte : c'était dé-gueu-lasse !).
• Une affaire de mère, genre lampe laide qui diffuse du parfum qui pue (elle adore ça).

— Je vais tuer ma sœur ! me lance Kat, avant même de me dire « salut », en jetant son sac dans son casier.

Moi : Si tu fais ça, tu ne seras pas tellement mieux que Bacon junior que tu traites de monstre, je te ferai remarquer !

Kat : C'est une façon de parler, là ! Mais je la renie ! À partir d'aujourd'hui, elle n'est plus ma sœur !

Moi : Qu'est-ce qu'elle a fait de si grave ?

Kat : Elle a laissé traîner mon jeu de Britney Spears Dance Beat ! Elle a fait exprès parce qu'elle savait que Truch venait à la maison ! Et il l'a trouvé ! Et là, j'ai dit que le jeu appartenait à Julyanne, je lui ai même fait les gros yeux pour la supplier de dire que c'était vrai et elle a tout nié ! Elle lui a dit que le jeu était à moi ! Et il l'a crue ! Et là, il sait TOUT !

Moi : Voyons, ce n'est pas si grave ! Il t'a déjà vue à la salle de jeux et tu es la meilleure au Dance Dance Revolution.

Kat : Ce n'est pas pareil !

Moi : C'est quoi, ton problème avec Britney Spears ?

Kat : Je veux juste ne pas donner l'impression de l'aimer devant lui !

Moi : On ne peut pas nier qu'elle a vraiment les meilleures chansons pour le Dance Dance.

Kat : Oui, mais mon petit copain n'est pas obligé de le savoir !

Moi : Bon alors il faut tuer des faux espions avec de faux fusils ou faire une course d'autos assise dans un simulateur avec un volant en plastique, c'est très intellectuel et super sérieux !

Kat : Arrête d'être sarcastique !

Moi : Toi, au moins, tu bouges ! Tu ne te transformeras pas en grosse patate !

Kat : Tu penses que si je ne bouge pas, je vais me transformer en patate ?

Moi : Ce n'est pas ça que je dis.

Kat : Penses-tu que Truch pense que je suis une grosse patate ?

Moi : Oublie ça !

Kat : Sais-tu ce que j'ai fait pour me venger ? J'ai dit à ma sœur que ses crétins de hamsters s'étaient entrebouffés !

11 h 15

Pendant toute la matinée, j'ai pensé à Julyanne et à la façon dont elle doit se sentir par rapport à ses hamsters. Il faut que je me concentre sur mes cours.

vendredi 16 décembre

Quand elle a su que j'avais une demi-journée péda-gogique, ma mère m'a pris un rendez-vous avec Ève, une massothérapeute ou je ne sais quoi qu'elle va voir parfois quand elle se sent trop stressée. Super ! J'ai trop de stress ! J'ai besoin de faire le vide. Et je ne me suis jamais fait masser, alors ce sera une nouvelle expérience très intéressante pour mon évolution personnelle.

14 h 5

Quand je suis entrée dans le centre de massothérapie, il y avait une petite musique avec des chutes d'eau et des cris d'animaux. Trop bizarre ! La personne qui m'a accueillie avait l'air beaucoup trop détendue. Elle me parlait comme si elle était en transe ou quelque chose du genre. Je n'étais pas vraiment dans le coup, vu que, ce matin, j'ai eu des cours de cata plastique, de maths et de sport.

14 h 13

Dans la salle d'attente, il y a plein de magazines dans le style mieux-être-dans-son-corps. Mais la musique avec la chute d'eau me donne vraiment envie de faire pipi, alors même si ça ne fait que cinq minutes que j'attends, je suis déjà allée aux toilettes deux fois.

14 h 15

Ève sort de son bureau et me dit que c'est mon tour. Je la suis. Elle me demande de me déshabiller et de me coucher sur le ventre, sur la table de massage.
Moi : Est-ce que je peux garder mes dessous ?
Ève : Fais ce qui te rend à l'aise.
Moi : Est-ce que je peux garder tout mon linge, d'abord ? C'est ça qui me rendrait vraiment à l'aise…
Ève : Ne t'en fais pas ! Tu as juste à te couvrir avec la serviette et je ne verrai rien. Puis, quand tu vas te tourner sur le dos, je vais te couvrir. Ou, si tu veux, tu peux rester sur le ventre si tu te sens plus à l'aise pour une première fois.

Moi : Je pense que j'aimerais mieux ça.

14h17

Oh ! cette musique avec la chute d'eau… C'est vraiment dur de ne pas avoir envie d'aller aux toilettes !
Ève revient et me parle tout bas pour me dire de me détendre et elle commence le massage. Comment se détendre avec ce bruit de chute d'eau ?

Entre 14h17 et 15h15 **(parce que je n'ai pas trop la notion du temps.**

Pensées qui me traversent l'esprit pendant mon massage :
Oh, oooooh ! Ça fait réellement du bien !
Vraiment plus cool que lorsque Kat m'en fait !
Je me demande si Truch peut vraiment s'intéresser à une autre fille…
Est-ce que ma mère va vraiment se trouver un petit copain sur Internet ?
Je me demande si ma grand-mère penserait que je suis lesbienne, si elle me voyait en train de me faire masser, pratiquement nue, par une fille.
HA ! HA ! HA ! Non, vraiment pas !
Oh ! Il faudrait que j'aille aux toilettes !
C'est quoi, cette musique de chute d'eau dans la nature ?
On dirait qu'on est dans la jungle.

Tarzan, dans le film de Disney, il est pas mal. Un peu trop vieux pour moi, mais plutôt mignon.

Bizarrement, il n'a aucun poil… Même pas de barbe.

Il est élevé par des gorilles et… il se rase ?

Des gorilles métrosexuels ! Ha ! ha ! ha ! ha !

Hi ! hi ! hi ! Ça chatouille, le massage !

Madagascar aussi, c'est un bon film de jungle.

Ils sont vraiment drôles, les pingouins !

Ils sont vraiment drôles aussi, les lémuriens !

Hein ? Comment ça se fait que je sais que ça s'appelle des lémuriens ? Est-ce qu'on le dit dans le film ?

J'ai dû l'apprendre à l'école… Ou au Biodôme ?

Est-ce que mon massage commence vraiment à stimuler mes neurones ?

Oh ! Ça fait vraiment du bien, un massage ! Ça me donne plein de petits frissons !

C'est drôle quand le roi lémurien commence à chanter : « *I like to move it move it. Momonoko Amananodjo ! Nanananananana Fizicaly-feta Fizicaly-feta, I like to move it move it ! Ping ping ping pi pi ping pi pi pi pi pi ping.* »

Habituellement, je n'aime pas vraiment ce genre de musique (vieux dance), mais c'est correct pour le film.

Beaucoup plus cool que ce que j'entends en ce moment : de la flûte de Pan dans la jungle. Beurk !

Qui traîne sa flûte de Pan dans la jungle ?

Oh… dans le fond, tu peux t'en fabriquer une sur place… avec des bouts de bambou.

Ouais, c'est cool, *Madagascar* !

La seule affaire, c'est que le lion… Comment il s'appelle donc ? Ah oui ! Alex ! Il commence à manger du poisson pour protéger ses amis, mais, dans *Nemo*, on ne veut pas que les poissons se fassent manger. Alors, quand on écoute *Madagascar*, on est content qu'Alex mange du poisson, mais si on voyait Alex manger, disons, Nemo, on serait tristes.

Oh ! Je me sens teeeeeellement détendue !

Je me demande pourquoi les « z » représentent le sommeil dans les bandes dessinées. Quand quelqu'un ronfle, c'est plus « rrrffff », non ?

Et, parfois, le personnage de ma BD rit comme ça : « Yuk ! Yuk Yuk ! » C'est rare que tu ries en faisant : « Yuk ! Yuk Yuk ! » Habituellement, c'est plus « hi ! hi ! hi ! » ou « ha ! ha ! ha ! ha ! » ou, si c'est le père Noël (ou l'oncle de Nicolas), c'est « ho ! ho ! ho ! ».

Je me demande si c'est vrai que Nicolas s'intéresse à moi…

Ha ! ha ! ha ! C'était drôle l'autre jour, avec Kat, quand on s'est mises à divaguer sur une pluie de fourmis.

Si ça arrivait, ce serait vraiment l'apocalypse !

Je parle de la pluie de fourmis et non de Nicolas. Pas que je veuille nécessairement qu'il s'intéresse à moi, mais… si c'était le cas, ce ne serait pas vraiment l'apo-calypse.

Je me demande aussi ce que je devrais acheter à ma mère pour Noël.

Les « zzzz », ça vient peut-être de quelqu'un qui grince des dents ???

Non, j'essaie en ce moment et ça fait plutôt « ssshhhlll ».

15 h 16 (une minute avant que ça fasse véritablement une heure.)

Ève m'extirpe de mes pensées quand elle dit :
– Prends le temps de te relaxer cinq minutes, rhabille-toi et reviens me voir à la réception.

Aussitôt qu'elle sort, je m'habille et je cours aux toilettes !

15 h 20

Je vais à la réception. Ève me donne un reçu à remettre à ma mère. Avant que je parte, elle dit : « T'es-tu relaxée ? » Je réponds oui, même si ce n'est pas vrai-ment le bon mot pour décrire mon expérience, étant donné que j'avais l'impression de devoir penser à cent millions de choses pour ne pas avoir envie d'aller aux toilettes à cause de la musique (nulle, selon mes goûts personnels).

Constatation : une bonne façon de stimuler ses neurones est d'avoir envie de faire pipi, car ça nous force à penser à un million de choses ! Je crois d'ailleurs que j'ai une bonne idée pour mon travail de français. (Aucun rapport avec l'envie d'aller aux toilettes !)

Samedi 17 décembre

Je me suis réveillée réellement de bonne humeur ce matin ! Je ne sais pas si c'est l'effet du massage, mais ça m'a fait tellement de bien que je suis allée sauter sur le lit de ma mère pour la remercier ! Je crois que, finalement, je vais lui acheter une lampe laide qui diffuse du parfum qui pue pour Noël, vu qu'elle aime ça. Je crois qu'elle va être contente et j'en ai vu une belle (selon les goûts de ma mère, surtout pas les miens !) dans une vitrine l'autre jour, qui entre totalement dans mon budget !

13 h 20

J'étais concentrée sur mon travail de français quand Kat m'a appelée, hyper paniquée.

Kat : Au', il faut absolument que tu viennes chez moi tout de suite !

Moi : Je ne peux pas ! Je travaille.

Kat : Il faut vraiment que tu viennes ! C'est une urgence ! Je n'insisterais pas si ce n'était pas une question de vie ou de mort !

Moi : Bon, j'arrive.

Kat : Apporte ton maillot de bain !

13 h 30

Merde ! Il est où, mon maillot de bain ?
« Mamaaaaaaaaaaaaaan ? »

13 h 37

Ma mère l'avait rangé avec le linge d'été. Une question de vie ou de mort ? Avec mon maillot de bain ? En plein hiver ? Je ne comprends rien !

13 h 45

Ma mère m'a conduite chez Kat, vu que je lui ai dit que c'était une urgence. Quand je suis arrivée, c'est Julyanne qui m'a ouvert la porte. Elle m'a dit que Kat était dans sa chambre. Je suis allée voir et Kat avait le visage complètement enveloppé dans une serviette. On ne voyait que ses yeux.

Moi : Kat !!!!!!! Qu'est-ce qui t'est arrivé ?

Kat : C'est épouvantable ! C'est épouvantable !

Moi : Mais quoi ? Montre !

Kat : Je ne peux pas te le montrer, c'est trop épouvantable !

Moi : Tu t'es fait défigurer ? (Je me tourne vers Julyanne.) C'est toi qui lui as fait ça ? Je savais que vous vous disputiez, mais... à ce point-là ?

Julyanne : Ha ! ha ! ha ! ha ! Ce n'est pas moi !

Moi : Ris pas, ce n'est pas drôle ! Mais alors c'est qui ? Veux-tu qu'on appelle la police ?

Julyanne : Oui, c'est drôle !

13 h 50

Kat a déroulé la serviette de son visage. Comme j'avais peur de la voir défigurée je me cachais un peu les yeux, mais lorsqu'elle a complètement enlevé la serviette, j'ai vu qu'elle était... orange. Avec des taches brunes.

Moi : Qu'est-ce qui t'est arrivé ?

Julyanne : Elle a volé l'autobronzant de ma mère et elle en a trop mis ! Ha ! ha ! ha ! ha ! Ma sœur est vraiment trop nouille !!!

273

14 h 1

Kat m'a raconté que, hier, profitant de la demi-journée pédagogique, elle a fouillé dans les produits de beauté de sa mère, à la recherche de quelque chose qui pourrait l'aider à séduire Truch, qu'elle trouve distant. « Plus comme au début » ont été ses mots exacts. Fini les spots de pub pour vanter le Truch ! Elle a trouvé l'autobronzant et elle a pensé qu'un teint basané serait parfait ! Mais elle en a trop mis et ne l'a pas étendu de façon égale, ce qui a causé la couleur trop orangée et les taches brunes. Le problème, c'est qu'elle s'en est mis... sur tout le corps ! Elle m'a également montré ses mains, qu'elle n'a pas nettoyées après l'application, et qui sont elles aussi devenues orange. Julyanne riait comme une déchaînée. Kat m'a appelée parce qu'elle veut absolument que je l'aide à se nettoyer avant le retour de ses parents. Son père assiste à un congrès, et sa mère est rentrée tard hier et elle est partie de bonne heure ce matin pour aller acheter les cadeaux de Noël. Kat a fait promettre à Julyanne, qui menaçait de tout répéter, de ne rien dire. Le prix à payer : elle doit faire ses tâches ménagères pendant une semaine.

14 h 15

Kat et moi sommes dans le bain (voilà pourquoi elle

274

voulait que j'apporte mon maillot). Je lui frotte le dos, mais c'est très difficile à faire partir. On a pris le gant de crin de sa mère et j'astique de toutes mes forces.

Moi : Comment t'as fait pour t'en mettre dans le dos ?

Kat : J'en ai mis sur une serviette et je... En tout cas, j'avais ma technique.

Moi : Sacrée technique ! Bon, on dirait que ça part un peu.

Kat : Parfait, frotte !

Moi : Il y a tellement d'autobronzant dans le bain que j'ai peur d'être moi-même tachée !

Kat : Ah ! Déconne pas, hein !

Moi : C'était n'importe quoi, cette affaire-là !

Kat : Je voulais vraiment reconquérir mon petit copain.

Moi : En ayant l'air de faire une overdose de bêta-carotène ?

Kat : Ha. Ha. Très drôle. Depuis l'histoire de Britney Spears... il n'est plus pareil. Je suis sûre qu'il me trouve moche. Allez, frotte !

Moi : Je frotte ! Je frotte ! Kat, tu n'as pas l'impression que tu en fais... trop ?

Kat : Non ! Plus on frotte, plus ça va partir et moins ma mère va me pourrir !

Moi : Non, je veux dire... par rapport à Truch.

Kat : Non...

Moi : Tu ne lui dis pas tes vraies opinions, tu attends

toujours après lui et ça fait une éternité qu'on n'est pas allées à la salle de jeux !

Kat : Hum… je pensais que c'était ça, l'amour. Ma mère me dit toujours qu'avec mon père, elle fait des compromis.

Moi : Ben là !

Kat : Je l'aime, Aurélie. C'est mon premier vrai amour !

Moi : Je pensais que ton véritable amour était David Desrosiers, de Simple Plan.

Kat : Franchement, je l'aime comme artiste, mais c'est tout !

Moi : Tu disais que t'allais te marier avec lui un jour !

Kat : Je suis… plus mature. Ah, d'ailleurs ! T'as vu leur nouveau clip ? Trop débile !

Moi : Je pense juste que tu n'es pas obligée d'en faire autant.

Kat : Ben quoi, je regarde la télé quand ça me tente !

Moi : Je veux dire… avec Truch.

Kat : Tu peux bien parler, toi, madame-je-vais-dans-une-école-privée-pour-me-sauver-des-garçons !

Moi : Ce n'est pas juste pour ça. C'est pour avoir une meilleure é-du-ca-tion.

Kat : Pfff ! Foutaise ! Je la connais, ton histoire, madame-je-fais-semblant-de-ne-pas-être-attirée-par-Nicolas-pour-ne-pas-vivre-d'émotions !

Moi : Hein, quel rapport ?

Kat : C'est vrai ! Je le sais, que t'as vécu une grosse

peine dans ta vie plus grosse que la perte d'un poisson rouge, mais tu te protèges trop, tu t'empêches de vivre toute forme d'émotion depuis ce temps-là ! Et je suis sûre que ce n'est pas bon pour… ta santé !

Moi : Ah bon… tu penses ? Dis donc, par hasard… ne travaillerais-tu pas comme bénévole chez « On t'écoute » ?

Kat : Non, pourquoi ? Tu les as appelés ?

Moi : Euh… oui. Et la dame m'a dit…

Kat : Moi aussi !!! La fille m'a dit d'avoir plus confiance en mon petit copain et d'essayer de faire des choses pour moi, ce qui serait séduisant pour lui. C'est là que j'ai conclu : je vais ME mettre de l'autobronzant, ce qui va LE séduire.

Moi : Oh, mon Dieu ! Je pense qu'elle voulait dire que tu devrais être plus indépendante !

Kat : T'as raison, Au' ! Je suis devenue de la vraie guimauve ! Qu'est-ce qui m'arrive ?

Moi (en arrêtant de frotter) : Kat… t'es ma meilleure amie parce que t'es la fille la plus géniale du monde ! Si Truch ne s'en rend pas compte sans autobronzant, c'est juste un con, peu importe sa culture musicale, cinématographique ou autre !

Kat : Toi aussi, t'es ma meilleure amie parce que t'es la fille la plus géniale du monde… Mais n'arrête surtout pas de frotter !

Julyanne, qui écoutait, semble-t-il, à la porte, s'est mise à chanter : « Les amoureuses sont seules au mondeeeee ! » Et Kat lui a suggéré de nous laisser tranquilles. Ensuite, on est sorties du bain et on a couru après Julyanne avec le tube d'autobronzant et on a fini toutes les trois dans le bain à se frotter. On a vraiment ri.

20 heures

Kat m'a téléphoné pour me dire que sa mère trouvait qu'elle était un peu rouge. Et là, elle lui a dit qu'elle avait essayé un nouveau produit anti-acnéique. En plus elle a remplacé son tube d'autobronzant (qui valait soixante euros !!!). Sa mère ne s'est rendu compte de rien. Mais Kat n'a plus vraiment d'argent pour ses cadeaux de Noël et elle a décidé d'en fabriquer à la main. Elle a tapé « cadeaux de Noël à la main » sur Google et elle a trouvé plein d'idées. Le seul problème, à son avis, c'est qu'elle a le visage tellement rouge, parce qu'on a vraiment beaucoup frotté, qu'elle a l'air d'un homard. Elle a l'impression qu'elle est réellement défigurée pour le reste de ses jours !

Dimanche 18 décembre

Étude intense en vue de la semaine d'examens. Pas le temps d'écrire ce qui se passe dans ma vie. D'ailleurs, il ne se passe pas grand-chose, puisque j'étudie.

Lundi 19 décembre

Première journée d'examens de fin de trimestre (cinq jours avant les vacances !!!).
Kat a encore le visage tout rouge. Ça la stresse tellement qu'elle a tout avoué à sa mère ! Elle lui a dit pour le tube d'autobronzant et tout (ce qui a annulé l'arrangement « ménage » avec sa sœur). Il paraît que

279

sa mère était écroulée de rire ! Et que, avant que Kat se confie, elle se demandait comment ça se faisait que son tube était plein. Kat est vraiment triste. Sa mère lui a dit de ne pas s'inquiéter, mais je crois que Kat vit un cocktail d'émotions : stress d'examens/défiguration/petit copain.

mercredi 21 décembre

Troisième journée d'examens (trois jours avant les vacances !!!).
Avant l'examen de français, Marie-Claude nous a invitées à lui remettre le travail qu'elle nous avait demandé de faire. Je lui ai donné timidement le mien. Et je suis retournée m'asseoir en me tournant les pouces avant de recevoir ma copie d'examen. C'est Justine Simard qui les distribuait.

Travail de français
Présenté à Marie-Claude Fréchette
Par Aurélie Laflamme

Poème
Apparences trompeuses

Une fourmi fière au regard fou
Bafouée par la fourmilière
Fouillait avec fougue
Un fourbi enfoui dans une fourrière

Lorsque la foudre
Foudroya le fourré
Où de fringantes fourmis
Avaient enfoui leur fourbi

Soudain, une fougère
Fouetta la fourmi fière
Qui fut refoulée jusqu'à la fourmilière
Dans une foule très peu familière

Frénétique, elle bafouilla
Et une furieuse frousse elle insuffla
Lorsqu'elle les informa avec ferveur
De l'infortune qui affublait leur demeure

Les fourmis stupéfaites
Face à leur fatuité
Cafouillèrent de s'être follement fourvoyées
Sur la fourmi fière au regard fou bafouée.

14 h 45

Après l'examen, Marie-Claude m'a fait venir à son bureau. Je tremblais de peur, car je croyais qu'elle allait me faire le même sermon que la fois de mon exposé oral et m'annoncer qu'elle me changerait de classe après les vacances. J'étais devant elle et je me rongeais les ongles jusqu'au sang.

Marie-Claude : C'est un très bon poème, Aurélie... As-tu eu de l'aide ?

Moi : Hum... c'est ma mère qui a trouvé les mots « affubler » et « fatuité ».

Marie-Claude m'a dit qu'elle s'était « fourvoyée » à

mon sujet (elle a utilisé une référence à mon poème !!!), qu'elle me félicitait et que mon poème, qui était le meilleur de la classe, allait être affiché sur le tableau d'excellence… POUR LE RESTE DE L'ANNÉE !!! Elle a ajouté que je perdais des points parce qu'il n'y avait pas de « f » dans mon titre, mais que si je lui trouvais un nouveau titre immédiatement, elle ne m'enlèverait aucun point. J'ai tout de suite répondu : « Fabulation de fourmis » (pour une fois que mon sens de la réplique fonctionnait à temps !) et elle a dit : « A+ » (pas dans le sens de « bye », mais dans le sens de « meilleure note » !)

YAHOUUUUUUUUUUUUUU !!!!!!!!!!!!!!

18 heures

J'ai raconté à Kat ce qui m'était arrivé au cours de français. Elle m'a dit, pour me taquiner, que j'étais devenue une intello ! Ça ne m'a fait aucun effet parce que j'étais trop contente ! Pour sa part, elle va mieux. Son visage est moins rouge, alors elle a espoir que ça redevienne normal. Quand les gens lui demandent pourquoi elle est si rouge, elle dit que c'est parce qu'il fait de plus en plus froid.

20 heures

Je crois maintenant qu'il est possible de voler ! Car je me suis sentie flotter sur un petit nuage tout le reste de la journée ! (Pas nécessairement parce que Kat ne sera pas éternellement défigurée, mais surtout parce que j'ai eu une bonne note pour mon poème !)

vendredi 23 décembre

Yahouuuuuuu ! Vacances !!!!!!!!!!!!!!!!!!!

Après mon dernier examen, je suis allée au magasin acheter la lampe de ma mère. Ensuite, j'ai pensé aller dire un dernier adieu à Sybil. Ma mère ne changera pas d'idée. Même si j'ai fait plus de ménage et même si j'ai de meilleures notes. Je me suis même exercée devant mon miroir à faire des yeux vraiment convaincants (moi-même, je n'aurais pu me résister !), mais elle a vraiment dit non, officiellement et définitivement.

15 h 30

J'adore le bruit que font mes pas dans la neige :
« Scrounch, scrounch, scrounch. » Surtout dans la neige
collante. Mon père appelait ça « la neige à bonhomme
de neige ». Aujourd'hui, il tombe de gros flocons. Le
genre de flocons qui reste dans les arbres. Ça fait tellement beau ! Et souvent, le lendemain, tout devient gla-
cé et c'est tout aussi beau !

16 heures

En entrant dans l'animalerie, je me suis dirigée vers la
cage des minous. En passant devant les hamsters, j'ai
remarqué que Buffy n'était plus là. Je me suis demandé si elle avait été adoptée ou… mangée.
On dirait que je me suis habituée à venir ici et à entendre
des chiens qui jappent, des oiseaux qui chantent et
Bono qui jure comme un charretier.

16 h 9

Arrivée devant la cage des chats, je vois la mère des bébés
minous. Elle est toute seule. Sybil ? Où est Sybil ? Ma
petite Sybil ! Je commence à courir dans tous les sens
dans l'animalerie, à la recherche de je-ne-sais-pas-quoi.
Je commence à me sentir super essoufflée. Je cherche
un employé. Nicolas ? Je veux savoir où est Sybil. J'en

veux tout à coup à ma mère de ne pas avoir voulu que je l'adopte. Je pense à Sybil qui me mordait le doigt. Et j'ai les larmes aux yeux quand je fonce dans Nicolas.

Nicolas : Aurélie ? Qu'est-ce que tu fais ici ?

Moi : Ils sont où, les minous ? Elle est où, Sybil ?

Nicolas : Tous les minous ont été adoptés. Désolé…

J'entends Bono crier : « Salut ! Salut ! » et je lui réponds : « Ta gueule !!!!! » Je cours vers la sortie, au bord des larmes, Bono crie : « Bon débarras ! » pendant que je m'éloigne.

18 heures

Quand je suis entrée chez moi, je suis allée directement dans ma chambre. 1) Je ne voulais pas que ma mère voie sa lampe laide qui pue, et 2) je voulais repenser à ce qui venait de se passer. Alors, j'ai posé la lampe sur ma commode en me disant que j'allais l'emballer demain et je me suis couchée sur mon lit, sur le dos, les mains derrière la tête.

Récapitulons : je suis sortie (pratiquement en larmes : vraiment bébé !) de l'animalerie. Mais (surprise !) Nicolas m'a rattrapée. Et il m'a donné un mouchoir (trop mimi). Il portait son tablier et son manteau par-dessus, ouvert, même pas de foulard (il risque d'attraper la grippe, mais ce sont ses affaires). Arrivé près de moi, il m'a attrapée par le bras pour m'empêcher de continuer mon chemin.

Lui : Moi aussi, des fois, je m'attache. Mais je me suis habitué parce que j'en vois partir tous les jours.

Moi : De quoi tu parles ?

Lui : De Sybil.

Moi : Ah. J'aurais aimé lui dire au revoir...

Lui : Imagine mon oncle, quand il va vendre Bono ! Je pense qu'il fait grimper le prix chaque semaine pour être certain de ne pas le vendre.

Moi : Je le comprends. Bon... eh bien merci pour le mouchoir. Joyeux Noël !

Lui : Attends... Aurélie. Je... j'aimerais m'excuser.

Moi : Hein ? Pourquoi ?

Lui : Chaque fois que je te vois, je suis nul... Et là, tu m'as dit : « Ta gueule ! » et je pense que...

Moi : J'ai dit « Ta gueule ! » à Bono.

Lui : Ah... Mais tu te sauves toujours et...

Moi : Je me sauve à cause de mes gaffes.

Lui : Toi ? Tu ne fais pas de gaffes.

Moi : Tu parles ! J'ai une amie qui dit qu'un tampon est une flûte, je bafouille, je me déguise en super-héros travesti, je m'étouffe avec ma propre salive, je m'auto-cryogénise quand je bois du milk-shake, je reste coin-cée dans les poufs et...

Lui : Je trouve que t'es une fille... spéciale.

Moi : Ouais… dans le genre extraterrestre.

Lui : Non, dans le genre… originale. Dans le genre… spéciale pour moi.

Il est resté un instant devant moi et je voyais la neige tomber sur lui. Il faisait noir, mais le lampadaire diffusait une lumière un peu violette.

C'est là que ça devient intéressant ! Il a pris mes mains et il a dit :

– Est-ce que ça te dérange si je fais ça ?

J'ai répondu (en sentant mes jambes trembler) :

– Non…

Il s'est approché un petit peu plus et il a dit :

– Est-ce que ça te dérange si je fais ça ?

J'ai répondu (en sentant mon pouls s'accélérer) :

– Non…

Il a collé son nez sur mon nez et il a dit :

– Ça, est-ce que ça te dérange ?

C'était la première fois que je sentais son odeur de bon assouplissant et d'haleine de chewing-gum au melon d'aussi près.

Il m'a donné un bisou sur la joue et il a dit :

– Est-ce que ça te dérange si je fais ça ?

J'ai répondu (en me disant que je n'allais quand même pas le poursuivre pour harcèlement !) :

– Non…

Et là, on s'est embrassés. (Ouuuuuuuuuh !)

Mon cœur faisait boum, boum, boum. C'était peut-être aussi poum-pi-toum, poum-pi-toum, il faut dire que je n'étais pas trop concentrée là-dessus. Je sais juste que ça allait vraiment trop vite ! (D'ailleurs, note à moi-même : m'assurer que je n'ai pas de maladie cardiaque qui me rendrait inapte à embrasser.)

Mes premières impressions sur mon premier baiser :
(Effets sonores de smouch-smouch en moins parce que, quand tu fais partie de l'action, tu l'entends moins, disons.)
1) Super. (Si j'ajoute un « o » avant le « u », et que je remplace le « e » par un « i », ça fait « soupir ». Aaaaaaaaah !)
2) Magique. (Le décor était parfait, sous la neige tombante, près d'un lampadaire… trop magique !)
3) Pas ringard. (Si quelqu'un m'avait raconté cette scène, j'aurais trouvé ça vraiment ringard ! Mais, faisant partie de ladite scène, il me semble que je n'aurais jamais pu rêver d'un plus beau premier baiser. Vraiment plus cool qu'avec mon propre bras ou encore avec Daniel Radcliffe en deux dimensions.)
4) Wow ! (Hi ! hi ! Palindrome ! Cool !!!)
5) Choubidouda (Je sais que ce n'est pas un mot, mais je n'en trouve aucun autre pour décrire mon expérience. C'est trop fort !!!)

À améliorer :

1) Les battements de mon cœur. (Si jamais j'avais une maladie cardiaque me rendant inapte au baiser, je serais déçue.)

2) Tenter de contrôler le tremblement dans mes jambes en période de stress. (Cela concerne autant les exposés oraux que les baisers amoureux.) D'ailleurs, trouver une corrélation entre jambes et bouche.

21 h 30

Ma mère est venue me souhaiter une bonne nuit. Quand elle est entrée dans ma chambre, j'ai bondi sur la lampe pour la cacher. Je me demande si elle s'en est rendu compte (pas seulement du cadeau, mais aussi du fait que j'avais embrassé Nicolas). Elle m'a suggéré de ne pas lire ma BD trop longtemps et m'a fait un clin d'œil. (Je suis sûre qu'elle le sait !)

Santa Claus is coming to town !
You betowacha You betonacra You betowacha Ame-
telinoua
Santa Claus is coming toniiiiiiiiiiiiiight !

9 heures

Kat m'a téléphoné avant d'aller chez ses grands-parents pour me souhaiter un joyeux Noël. Son visage est redevenu complètement normal. Et elle dit que Truch lui a téléphoné pour lui souhaiter lui aussi un joyeux Noël, alors elle est contente. Je ne lui ai pas dit pour Nicolas. Je vais attendre qu'elle revienne.

9 h 30

Wow ! les arbres sont couverts de glace comme je l'avais prédit ! Ma mère m'a fait remarquer qu'on avait bien fait de décider de rester toutes les deux ici parce que les routes sont dangereuses. (Je m'en fous, j'ai embrassé ! Hi ! hi ! hi !)

18 h 30

Ma mère et moi avons mangé de la fondue. Wow ! c'est trop cool !

19 h 30

Ma mère avait placé tous les cadeaux en dessous de l'arbre. J'avais déjà déballé dix BD et des super beaux pantalons quand elle m'a remis une lettre. Je l'ai ouverte et j'ai lu :

Ma belle grande fille,

En ce jour de Noël, je tiens à te dire à quel point je suis fière de toi. Je ne sais peut-être pas toujours comment te le montrer, mais je te regarde aller et je sais que tu accompliras de grandes choses.

Je sais que je ne suis pas toujours facile… Je sais aussi que je ne dis pas toujours les bonnes choses au bon moment. Mais je tiens à ce que tu saches que je serai toujours là pour toi. Et qu'en tout temps tu peux me parler. Je suis désolée si tu en es venue à penser le contraire…

C'est vrai que j'ai vécu des moments difficiles et que je n'ai pas su comment me montrer forte devant toi. J'ai dû te paraître encore plus vulnérable.

Je suis désolée d'avoir été incapable de te protéger de ma tristesse. Et de ne pas avoir été à la hauteur pour t'aider à gérer la tienne.

J'aimerais te dire que si ton père te voyait aujourd'hui, il serait fier de toi. Je sais qu'il serait ton complice et que, même si parfois nous ne serions pas toujours d'accord avec ce que tu fais, nous nous féliciterions d'avoir donné la vie à quelqu'un comme toi.
Je veux que tu saches que, peu importe ce que je t'ai dit, je sais que ton père sera toujours avec toi, dans ton cœur.
Ça, c'est ce que je crois.
Je t'aime très fort,
Joyeux Noël !

Maman

19 h 36

J'ai serré ma mère dans mes bras. Ensuite, je lui ai donné sa lampe laide qui diffuse du parfum qui pue, avec le parfum qui pue en question, et elle était hyper contente ! Elle a dit qu'elle trouvait la lampe super belle (ma mère et moi n'avons officiellement pas les mêmes goûts) et que le parfum sentait super bon (j'espère qu'elle n'en fera pas diffuser trop souvent parce que ça sent réellement mauvais).

20 heures

Je pleure des larmes de joie à cause de mon plus beau cadeau de Noël À VIE !
J'étais déjà un peu émue à cause de la lettre quand ma

mère m'a tendu une grande boîte avec un gros chou rouge dessus. Je l'ai ouverte et j'étais sous le choc (je crois que l'amour rend les gens plus sensibles). Dans la boîte, il y avait… Sybil !!!!!!!!!!!!!!!!!!!! Blanche, avec sa petite tache grise sur le front, qui faisait « miuuuuu ». J'ai tellement crié ! J'ai pris Sybil dans mes bras et je lui ai donné plein de bisous. Puis je me suis jetée dans les bras de ma mère. Elle avait les larmes aux yeux.

Moi : Pleure pas ! Je te jure que je vais nettoyer la litière ! Je te le promets ! Tu ne le regretteras pas !

Ma mère : Je le sais. Tu es contente ?

Moi : Oui, trop !!!!!!! Comment t'as fait ? Comment t'as fait pour savoir que c'était elle ?

Ma mère : Il s'en est fallu de peu que je ne puisse pas l'avoir !

Moi : Pourquoi ?

Ma mère : J'ai dit au commis que je voulais ce minou-là et il ne voulait pas me le donner.

Moi : Ah non ? Pourquoi ?

Ma mère : Il disait qu'il était réservé.

Moi : Hein ? À qui ?

Ma mère : Il ne me l'a pas dit.

Moi : Il ressemblait à quoi ? Jeune ou grosse bedaine ?

Ma mère : Jeune… Mais toujours est-il que je lui ai expliqué que ma fille venait voir ce minou…

Moi : Cette chatoune !

Ma mère : … tous les jours…

Moi : Pas tous les jours !

Ma mère : Veux-tu l'entendre, l'histoire, ou non ?

Moi : Oui, 'scuse…

Ma mère : Bref, je lui ai dit que ma fille venait voir la chatoune souvent et il m'a demandé le nom de ma fille, et quand je le lui ai dit, il me l'a donnée !

Moi : Pour de vrai ? Est-ce qu'il sentait le bon assouplissant ?

Ma mère : Hum… je n'ai pas remarqué. Pourquoi ? Tu le trouves à ton goût ?

Moi : Ooooooh, mamaaaaaan ! (Non dit, parce que ça aurait été inapproprié après ce super cadeau : Mêle-toi de tes affaires !)

Et je lui ai lancé le gros chou rouge qu'il y avait sur la boîte dans laquelle était Sybil.

Ma mère : J'ai raison ?

Moi : Nooooooon ! C'était vraiment pour Sybil ! Regarde comme elle est trop mignonne ! M'man, merci, merci, merci, merciiiii ! Je t'aime, je t'aime, je t'aiiiiime !

Sybil a couru jusqu'au chou et elle a sauté dessus comme si elle voulait l'attaquer.

21 heures

Please Come Home for Christmas est passé à la radio et,

pour la première fois, on n'a pas changé de station. On regardait Sybil jouer avec une boule de Noël et on se tordait de rire, tellement elle était drôle !

Cher Dieu, si vous existez... euh... si jamais vous êtes une femme, eh bien, chère Dieu ou, plutôt, Déesse, merci pour Sybil ! Et... pouvez-vous dire à mon père : « Joyeux Noël », s'il vous plaît ? Ah, et si jamais il vous reste du temps, dites-lui que je me sens super bien ici.

Remerciements

Merci à :
Simon.
Ma famille : Gi, Mom, Pa, Jean et Patricia.
Mes a-muse-mies : Mel Robitch, Nath Slight, Mel B.,
Maude V., Isa Gosselin, Michou, Ju Black, Val Guibo
et Emily Jolie.
Michel Brûlé et Ingrid Remazeilles.
Élyse-Andrée Héroux et Geneviève Nadeau.
Annie Talbot et Patricia Juste.
Josée Tellier.
Caroline Allard.
Anne-Marie Lemay, Geneviève et Michel Boulé.
Louis-Thomas Pelletier.
Samuel Larochelle.
La vraie sœur Rose.
Et à tous ceux qui ont mis de la mine dans mon crayon
sans le savoir.

À découvrir dans le tome 2...

Sur le point de craquer !

Mardi 3 janvier

J'ai la langue à terre. Pas parce que j'ai récemment développé un intérêt particulier pour le tapis ou l'asphalte, mais parce que je suis fatiguée. Il faut dire que j'ai eu une année chargée !

Bilan de mon année :

• Je me suis disputée avec ma meilleure amie, Kat, pour une bêtise. Et heureusement, nous nous sommes réconciliées.

• Kat a un petit copain, Truch (Jean-David Truchon), un mec que je trouve prétentieux (ne pas le dire à Kat), et elle est devenue une totale nouvelle personne, pas nécessairement dans le bon sens. On dirait que son cerveau est devenu de la guimauve et que, maintenant, son seul intérêt dans la vie est son mec.

• J'ai eu le flash d'une théorie un peu folle comme quoi (hi ! hi ! c'est naïf) mon père ne serait pas décédé, mais plutôt (hi ! hi ! je suis gênée) un extraterrestre (ha ! ha !) de retour sur sa (hi ! hi !) planète natale (HA ! HA ! HA ! HA ! HA !). Bon, j'avoue que moi-même je me sens parfois comme une extraterrestre qu'on aurait oubliée sur Terre après un voyage intergalactique (genre E.T., mais avec une apparence légèrement plus attrayante). Alors, le fait de penser que j'avais du sang extraterrestre (les extraterrestres ont-ils du sang ?) dans les veines (les extraterrestres ont-ils des veines ?) me rassurait peut-être un peu.

• J'ai pensé, avec preuves à l'appui, que ma mère sortait avec mon directeur, et je me suis royalement trompée ! Denis Beaulieu ne l'intéresse que pour parler de mon mauvais comportement (justifié, selon moi) à l'école et aucunement « romantiquement » parlant. J'ai plutôt découvert qu'après des années de deuil intense, elle a décidé (beurk) de se trouver un copain (beurk) par le biais (franchement !) d'Internet.

• Parlant de ma mère, j'ai découvert malgré moi et totalement par hasard qu'elle portait des strings, ce qui m'a causé un énooooorme traumatisme.

• À l'école, mes notes ne sont pas si bonnes, mais je tente d'améliorer ma situation. Ça a déjà commencé en français. Pour un travail, je me suis vraiment forcée et, même si je suis la plus nulle du meilleur groupe depuis le début de l'année, j'ai eu la meilleure note ! J'ai écrit un poème qui a été très apprécié par ma prof, Marie-Claude. Et je compte en écrire d'autres.

• Pour Noël, j'ai eu un minou (Sybil, la plus belle petite minoune de la planète !!!). J'ai eu aussi : un nouveau journal (de ma tante Louise), des BD (de ma mère et de ma tante) et un iPod (de mes grands-parents Charbonneau et de ma grand-mère Laflamme qui se sont cotisés !!!). À part le fait que mon père n'était pas là, c'était un de mes meilleurs Noëls !

• Ah oui, dernière chose… J'ai roulé une pelle (hi ! hi !). À Nicolas. C'est un garçon qui sent le bon assouplissant et son haleine (hi ! hi ! vérifié parce que j'étais, disons, assez proche), le chewing-gum au melon. Depuis, je ne l'ai pas revu. Je n'ose pas retourner à l'animalerie où il travaille, même si ma mère m'a dit que c'est grâce à lui que j'ai pu avoir ma belle Sybil. (Il la gardait pour moi : trop mignon !) On ne s'est pas donné de nouvelles depuis qu'on s'est embrassés, le 23 décembre dernier.

14 h 12

Je change de position sur mon lit. J'écrivais tout ça dans mon nouveau journal, couchée sur le ventre, et j'ai commencé à avoir le bras engourdi. Sybil est au pied de mon lit et elle s'acharne contre le reflet de ma montre sur le mur (je fais un peu exprès, c'est trop drôle de la voir sauter). Avant de plonger dans mes résolutions pour la nouvelle année, je joue un peu avec elle. Je ne peux m'empêcher de la prendre dans mes bras et de lui donner plein de bisous sur son petit nez rose. Elle est tellement mimi ! Elle est mignonne dans tout ce qu'elle fait : quand elle se gratte, quand elle se lave, quand elle fait « miaouuuu », quand elle joue avec quelque chose avec ses petites pattes… Je l'adore ! Et je crois que c'est une chatte à l'intelligence supérieure ! On n'a même pas été obligées de lui apprendre à aller dans sa litière, elle y est allée tout de suite ! Depuis que je l'ai, elle dort toujours avec moi, et on dirait qu'elle sait que sa chambre, c'est *ma* chambre. Et l'autre jour, ma mère a passé une heure à lui faire des bisous en disant « bisou, bisou » chaque fois qu'elle s'apprêtait à l'embrasser. Sur le coup, je trouvais ma mère vraiment niaise, mais depuis ce temps-là, chaque fois qu'on dit le mot « bisou », Sybil lève son petit museau dans les airs, comme si elle savait ce qu'on voulait dire ! Elle est trop, trop, trop mignonne !

Ma mère m'a proposé qu'on n'envoie pas Sybil dehors et qu'on la fasse dégriffer quand elle serait un peu plus vieille. Je suis d'accord. Je ne voudrais pas la perdre. Jamais. D'ailleurs, j'ai promis à Sybil de ne jamais partir sans elle. Pendant les fêtes, je l'ai emmenée partout dans ma famille et tout le monde l'a a-do-rée !

Imprimé à Barcelone par :

BLACK PRINT

Composé par Nord Compo Multimédia
7, rue de Fives, 59650 Villeneuve-d'Ascq

Dépôt légal :février 2013
ISBN : 978-10-224-0002-2
POC 0029